GO! 매쓰

Jump

유형 사고력

수학 2-1

Go! 매쓰 Jump

차례

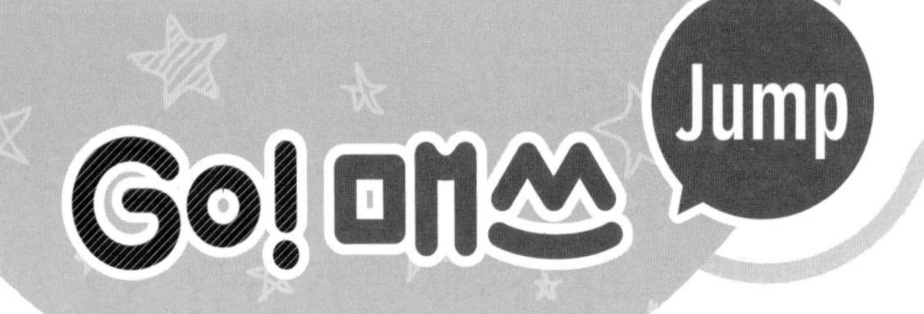

구성과 특징

1 핵심 개념 정리

단원별 핵심 개념을 간결하게 정리하여 한눈에 이해할 수 있습니다.

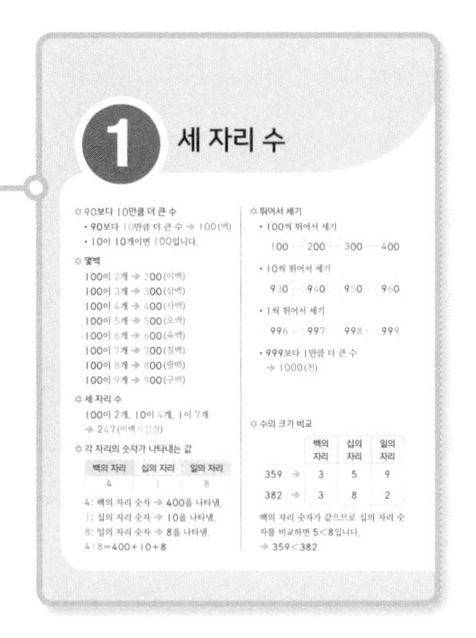
1 세 자리 수

◎ 90보다 10만큼 더 큰 수
- 90보다 10만큼 더 큰 수 → 100(백)
- 10이 10개이면 100입니다.

◎ 몇백

◎ 세 자리 수

◎ 각 자리의 숫자가 나타내는 값

백의 자리	십의 자리	일의 자리
4	1	8

4|8=400+10+8

◎ 뛰어서 세기
- 100씩 뛰어서 세기
  100 — 200 — 300 — 400
- 10씩 뛰어서 세기
  930 — 940 — 950 — 960
- 1씩 뛰어서 세기
  996 — 997 — 998 — 999
- 999보다 1만큼 더 큰 수
  → 1000(천)

◎ 수의 크기 비교

	백의 자리	십의 자리	일의 자리
359 →	3	5	9
382 →	3	8	2

→ 359<382

2 대표 유형 익히기

단원별 사고력 문제의 대표 유형을 뽑아 수록하였습니다. 단계에 따라 문제를 해결하면 사고력 문제도 스스로 해결할 수 있습니다.

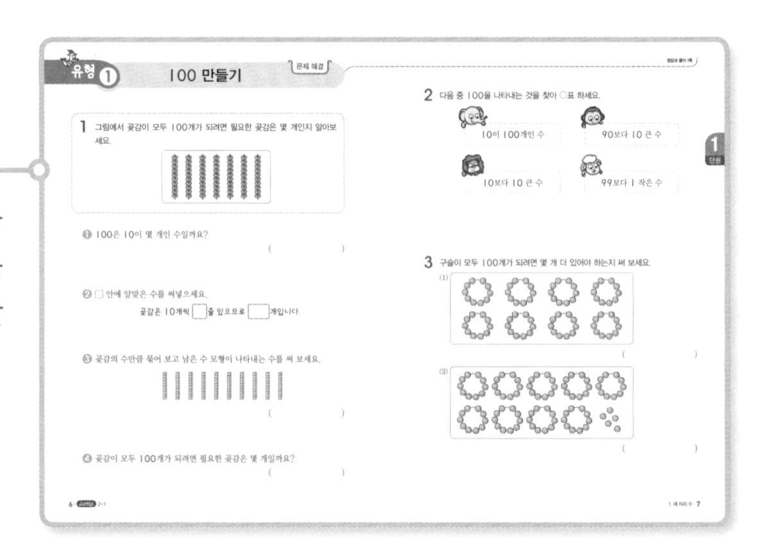
유형 ① 100 만들기 문제 해결

1 그림에서 곶감이 모두 100개가 되려면 필요한 곶감은 몇 개인지 알아보세요.

① 100은 10이 몇 개인 수일까요?
( )

② □ 안에 알맞은 수를 써넣으세요.
곶감은 10개씩 □줄 있으므로 □개입니다.

③ 곶감의 수만큼 묶어 보고 남은 수 모형이 나타내는 수를 써 보세요.
( )

④ 곶감이 모두 100개가 되려면 필요한 곶감은 몇 개일까요?
( )

2 다음 중 100을 나타내는 것을 찾아 ○표 하세요.

10이 100개인 수 / 90보다 10 큰 수 / 10보다 10 큰 수 / 99보다 1 작은 수

3 구슬이 모두 100개가 되려면 몇 개 더 있어야 하는지 써 보세요.

(1) ( )

(2) ( )

6 · Jump 2-1 / 1. 세 자리 수 · 7

3 사고력 종합평가

한 단원을 학습한 후 종합평가를 통하여 단원에 해당하는 사고력 문제를 잘 이해하였는지 평가할 수 있습니다.

사고력 종합 평가

1 10이 60개인 수는 100이 몇 개인 수와 같은지 알아보려고 합니다. □ 안에 알맞은 수를 써넣으세요.

10이 60개인 수는 □이므로 100이 □개인 수와 같습니다.

2 돈을 가장 많이 가지고 있는 친구를 찾아 이름을 써 보세요.

민재 / 수아 / 현지

( )

3 뛰어서 세었습니다. 빈 곳에 알맞은 수를 써넣으세요.

296, 286, 256

4 460부터 10씩 뛰어서 세면서 —으로 이어 보세요.

470, 500, 501, 515, 460, 480, 490, 510, 620, 485, 495, 520

5 귤 수를 보기와 같은 방법으로 나타내었습니다. 다음과 같이 나타낸 귤은 몇 개를 나타낼까요?

보기: 귤 100개: ☆, 귤 10개: ◎, 귤 1개: △

☆☆☆◎◎△△△△△△

( )

6 고구마 254개를 보기와 같은 방법으로 나타내어 보세요.

보기: 고구마 100개: ◎, 고구마 10개: △, 고구마 1개: □

18 · Jump 2-1 / 1. 세 자리 수 · 19

1 세 자리 수

90보다 10만큼 더 큰 수

- 90보다 10만큼 더 큰 수 → 100(백)
- 10이 10개이면 100입니다.

몇백

100이 2개 → 200(이백)
100이 3개 → 300(삼백)
100이 4개 → 400(사백)
100이 5개 → 500(오백)
100이 6개 → 600(육백)
100이 7개 → 700(칠백)
100이 8개 → 800(팔백)
100이 9개 → 900(구백)

세 자리 수

100이 2개, 10이 4개, 1이 7개
→ 247(이백사십칠)

각 자리의 숫자가 나타내는 값

백의 자리	십의 자리	일의 자리
4	1	8

4: 백의 자리 숫자 → 400을 나타냄.
1: 십의 자리 숫자 → 10을 나타냄.
8: 일의 자리 숫자 → 8을 나타냄.
418=400+10+8

뛰어서 세기

- 100씩 뛰어서 세기

100 — 200 — 300 — 400

- 10씩 뛰어서 세기

930 — 940 — 950 — 960

- 1씩 뛰어서 세기

996 — 997 — 998 — 999

- 999보다 1만큼 더 큰 수
→ 1000(천)

수의 크기 비교

	백의 자리	십의 자리	일의 자리
359 →	3	5	9
382 →	3	8	2

백의 자리 숫자가 같으므로 십의 자리 숫자를 비교하면 5<8입니다.
→ 359<382

100 만들기

문제 해결

1 그림에서 곶감이 모두 100개가 되려면 필요한 곶감은 몇 개인지 알아보세요.

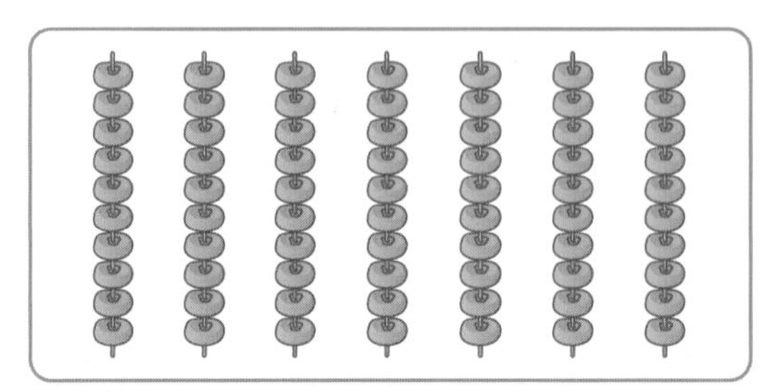

❶ 100은 10이 몇 개인 수일까요?

( )

❷ □ 안에 알맞은 수를 써넣으세요.

곶감은 10개씩 □ 줄 있으므로 □ 개입니다.

❸ 곶감의 수만큼 묶어 보고 남은 수 모형이 나타내는 수를 써 보세요.

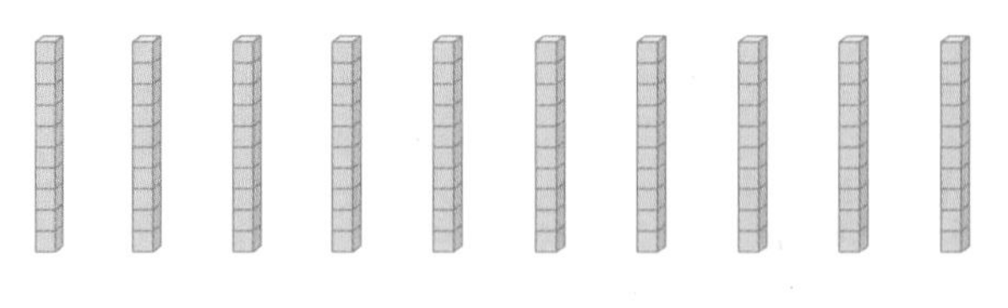

( )

❹ 곶감이 모두 100개가 되려면 필요한 곶감은 몇 개일까요?

( )

2 다음 중 100을 나타내는 것을 찾아 ○표 하세요.

10이 100개인 수

90보다 10 큰 수

10보다 10 큰 수

99보다 1 작은 수

3 구슬이 모두 100개가 되려면 몇 개 더 있어야 하는지 써 보세요.

(1)

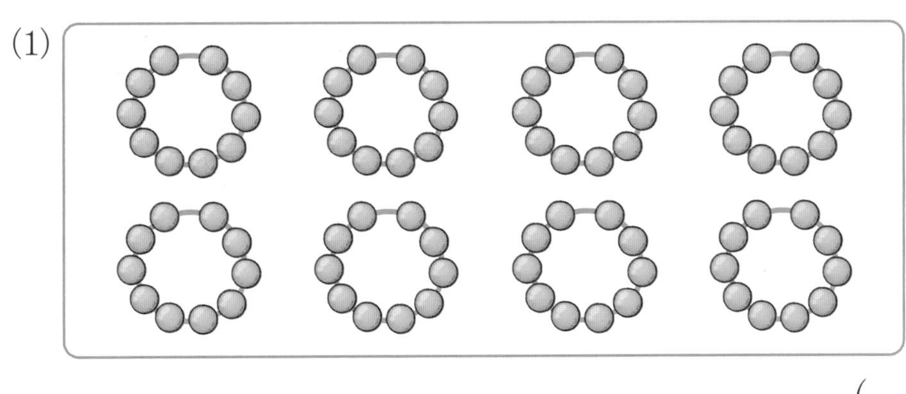

(　　　　　　)

(2)

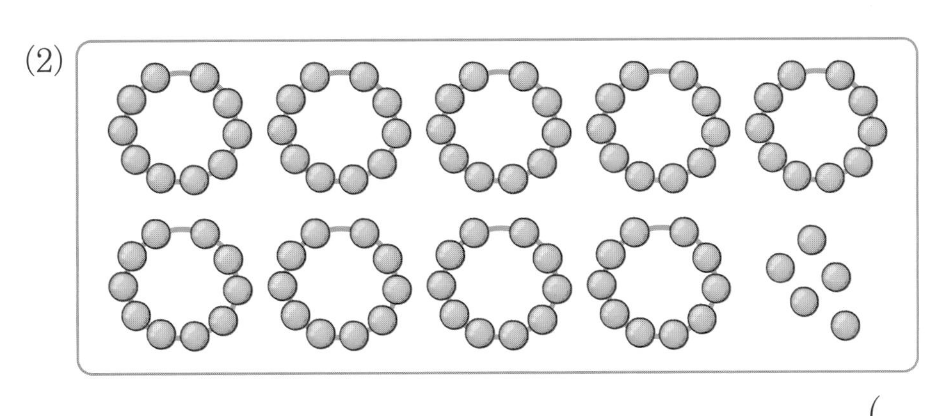

(　　　　　　)

유형 2 규칙에 따라 뛰어서 세기

문제 해결

1 그림을 보고 10씩 뛰어서 세어 빈 연잎에 알맞은 수를 써넣으려고 합니다. 물음에 답하세요.

❶ 다음과 같이 뛰어서 세면 어느 자리 숫자가 몇씩 커질까요?

100씩 뛰어서 세면 (백 , 십 , 일)의 자리 숫자가 ☐씩 커집니다.

10씩 뛰어서 세면 (백 , 십 , 일)의 자리 숫자가 ☐씩 커집니다.

1씩 뛰어서 세면 (백 , 십 , 일)의 자리 숫자가 ☐씩 커집니다.

❷ 10씩 뛰어서 세어 그림의 빈 연잎에 알맞은 수를 써넣으세요.

2 354부터 100씩 5번 뛰어서 센 수는 얼마일까요?

(　　　　　　　　　)

3 뛰어서 세었습니다. 빈칸에 알맞은 수를 써넣으세요.

733	732	731			

4 부엉이의 말을 읽고 이벤트에 당첨된 번호를 가지고 있는 동물의 이름을 모두 써 보세요.

(　　　　　　　　　)

유형 3 수의 표현 방법 이해하기

추론

1 민지는 326을 다음과 같이 나타내었습니다. 민지의 수 표현 방법으로 274를 나타내어 보세요.

△ △ △ ○ ○ ◇ ◇ ◇ ◇ ◇ ◇

❶ △ 1개는 ○ 몇 개와 같을까요?

( )

❷ ○ 1개는 ◇ 몇 개와 같을까요?

( )

❸ △, ○, ◇가 나타내는 수를 각각 써 보세요.

△ — ☐　　○ — ☐　　◇ — ☐

준비물 붙임딱지

❹ 274를 모양 붙임딱지를 붙여 같은 방법으로 나타내어 보세요.

준비물 붙임딱지

2 사과 수를 보기 와 같은 방법으로 나타내려고 합니다. 빈 곳에 알맞은 모양 붙임딱지를 붙이고 □ 안에 알맞은 수를 써넣으세요.

보기
사과 100개: ♡, 사과 10개: ☆, 사과 1개: △

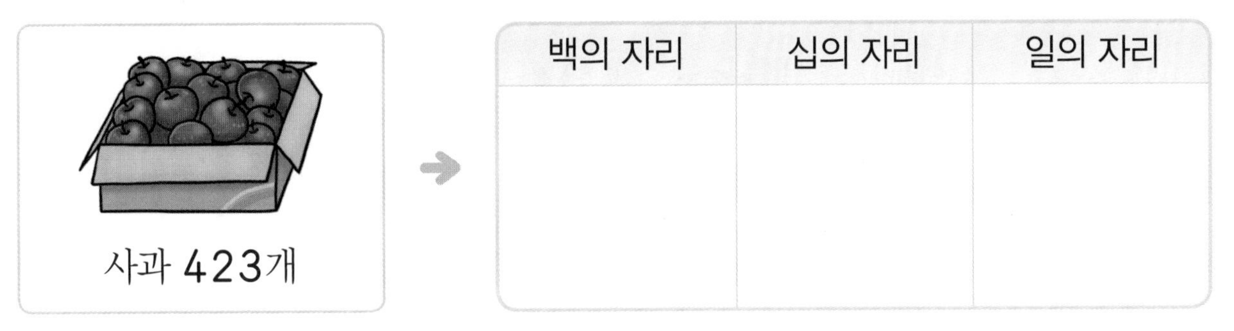

사과 □개

백의 자리	십의 자리	일의 자리
♡ ♡ ♡ ♡ ♡	☆ ☆ ☆ ☆ ☆ ☆	△ △

1 단원

준비물 붙임딱지

3 보기 와 같은 방법으로 715를 나타내려고 합니다. 빈 곳에 알맞은 모양 붙임딱지를 붙여 보세요.

유형 4 수 카드로 수 만들기

문제 해결

1 다리의 수가 2개인 동물이 있는 수 카드를 한 번씩 사용하여 세 자리 수를 만들려고 합니다. 물음에 답하세요.

❶ 다리의 수가 2개인 동물이 있는 수 카드의 수를 모두 써 보세요.

(　　　　　　　　　　)

❷ 다리의 수가 2개인 동물이 있는 수 카드를 한 번씩 사용하여 만들 수 있는 가장 큰 세 자리 수는 얼마일까요?

(　　　　　　　　　　)

❸ 다리의 수가 2개인 동물이 있는 수 카드를 한 번씩 사용하여 만들 수 있는 가장 작은 세 자리 수는 얼마일까요?

(　　　　　　　　　　)

2 수 카드를 한 번씩 사용하여 세 자리 수를 만들려고 합니다. 만들 수 있는 세 자리 수 중 가장 큰 수와 가장 작은 수를 각각 구하세요.

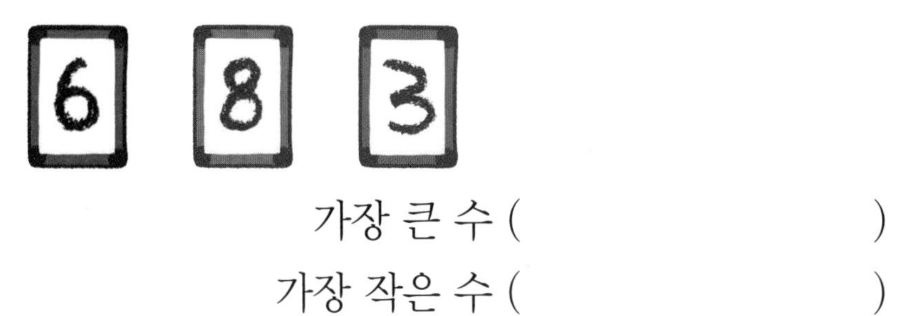

가장 큰 수 (　　　　　　　　)

가장 작은 수 (　　　　　　　　)

3 4장의 수 카드 중 3장을 뽑아 한 번씩 사용하여 세 자리 수를 만들려고 합니다. 만들 수 있는 세 자리 수 중 십의 자리 숫자가 5인 가장 큰 수와 가장 작은 수를 각각 구하세요.

가장 큰 수 (　　　　　　　　)

가장 작은 수 (　　　　　　　　)

유형 5 조건에 맞는 수 만들기

문제 해결

1 동전 4개 중 3개를 사용하여 나타낼 수 있는 세 자리 수는 모두 몇 개인지 알아보려고 합니다. 물음에 답하세요.

211　　210　　201　　200
101　　111　　112　　102

❶ 동전 4개 중 동전 3개를 사용하여 나타낼 수 있는 세 자리 수를 알아보려고 합니다. 빈칸에 알맞은 수를 써넣으세요.

100원(개)	10원(개)	1원(개)	세 자리 수

❷ 동전 4개 중 동전 3개를 사용하여 나타낼 수 있는 세 자리 수를 모두 써 보세요.

( )

❸ 동전 4개 중 3개를 사용하여 나타낼 수 있는 세 자리 수는 모두 몇 개일까요?

( )

2 수 모형 5개 중 3개를 사용하여 나타낼 수 있는 세 자리 수를 모두 써 보세요.

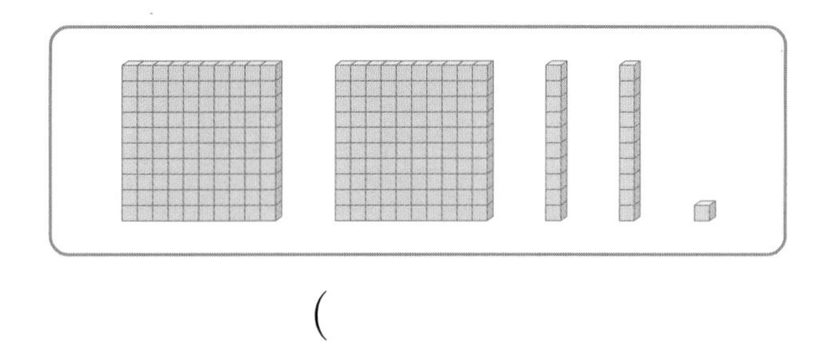

( )

3 동전 5개 중 4개를 사용하여 나타낼 수 있는 세 자리 수를 모두 써 보세요.

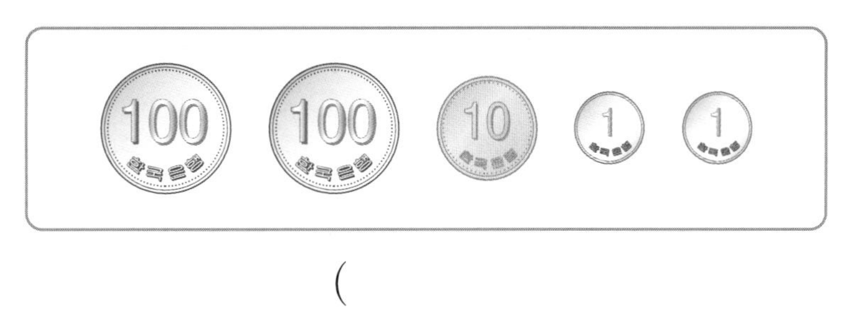

( )

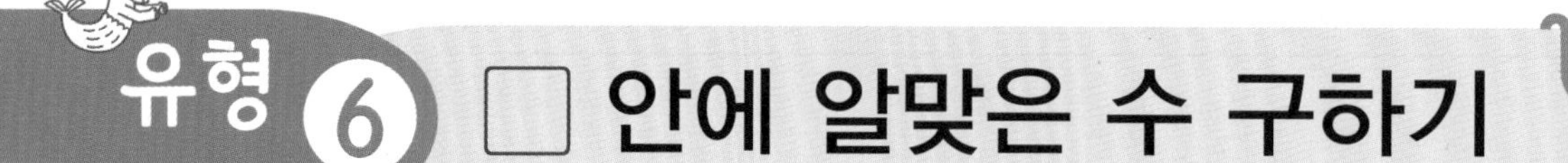

유형 6 □ 안에 알맞은 수 구하기

문제 해결

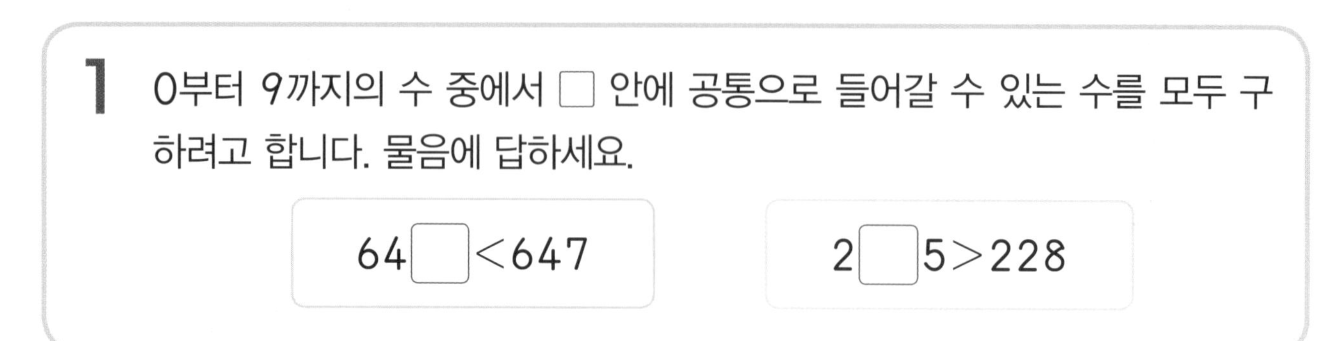

1 0부터 9까지의 수 중에서 □ 안에 공통으로 들어갈 수 있는 수를 모두 구하려고 합니다. 물음에 답하세요.

$64\square<647$　　　$2\square5>228$

❶ $64\square<647$ 에서 □ 안에 들어갈 수 있는 수를 모두 구해 보세요.

(　　　　　　　　　　)

❷ $2\square5>228$ 에서 □ 안에 들어갈 수 있는 수를 모두 구해 보세요.

(　　　　　　　　　　)

❸ $64\square<647$ 과 $2\square5>228$ 의 □ 안에 공통으로 들어갈 수 있는 수를 모두 구해 보세요.

(　　　　　　　　　　)

준비물 붙임딱지

2 수의 크기를 비교하여 작은 수부터 빈 곳에 수 붙임딱지를 붙여 보세요.

(1) 485 502 491 576 601

(2) 128 314 270 309 183

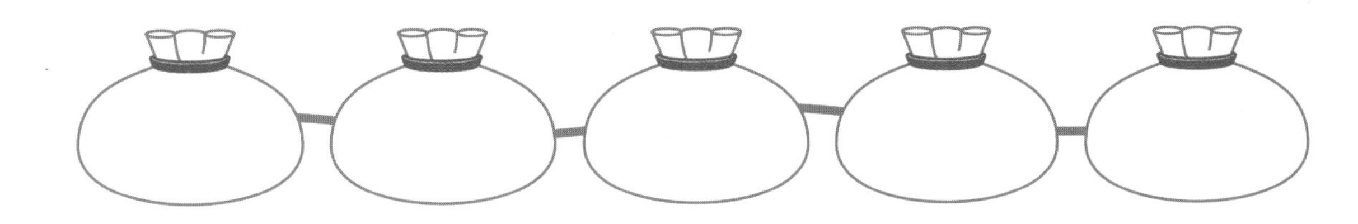

3 세 자리 수의 크기를 비교한 것입니다. □ 안에 들어갈 수 있는 한 자리 수를 모두 써 보세요.

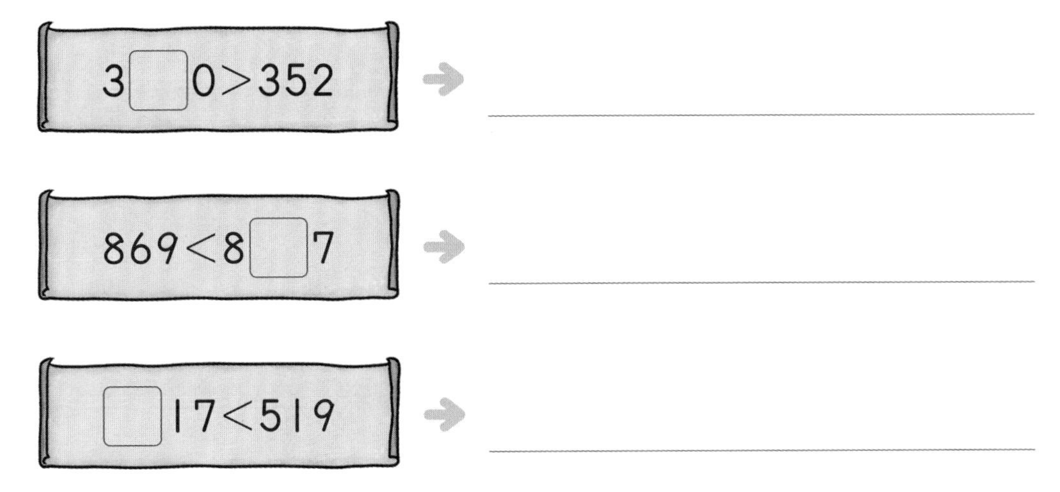

사고력 종합 평가

1 10이 60개인 수는 100이 몇 개인 수와 같은지 알아보려고 합니다. □ 안에 알맞은 수를 써넣으세요.

10이 60개인 수는 [   ]이므로 100이 [ ]개인 수와 같습니다.

2 돈을 가장 많이 가지고 있는 친구를 찾아 이름을 써 보세요.

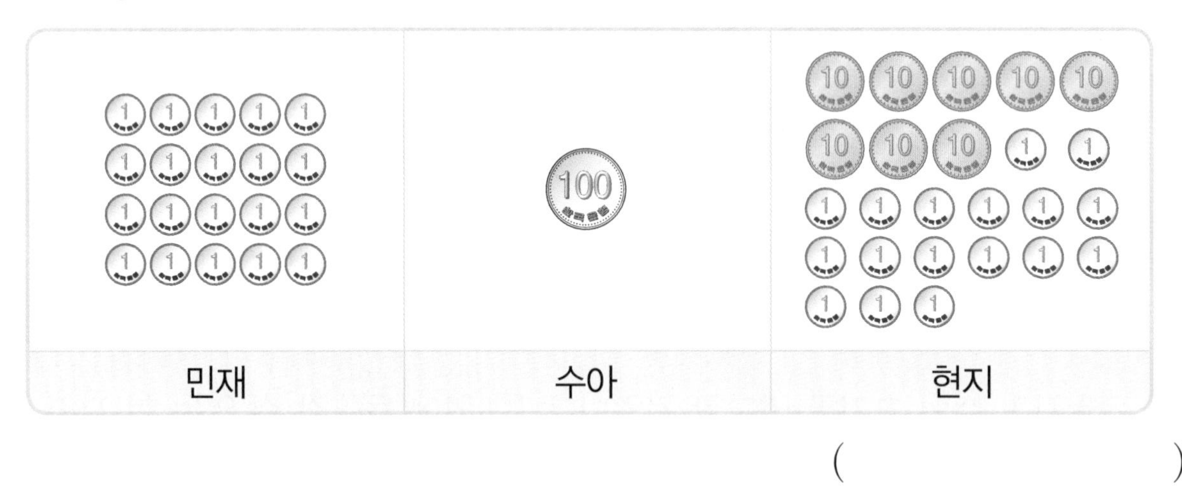

(   )

3 뛰어서 세었습니다. 빈 곳에 알맞은 수를 써넣으세요.

4 460부터 10씩 뛰어서 세면서 ―으로 이어 보세요.

5 귤 수를 보기 와 같은 방법으로 나타내었습니다. 다음과 같이 나타낸 귤은 몇 개를 나타낼까요?

( )

6 고구마 254개를 보기 와 같은 방법으로 나타내어 보세요.

보기

고구마 100개: ○, 고구마 10개: △, 고구마 1개: □

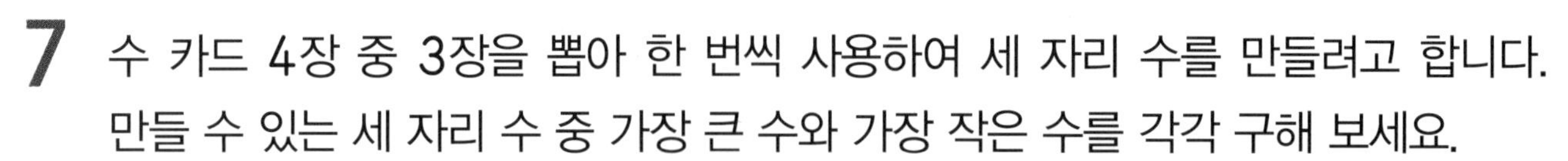

7 수 카드 4장 중 3장을 뽑아 한 번씩 사용하여 세 자리 수를 만들려고 합니다. 만들 수 있는 세 자리 수 중 가장 큰 수와 가장 작은 수를 각각 구해 보세요.

가장 큰 수 (   )

가장 작은 수 (   )

8 □ 안에 알맞은 수를 써넣으세요.

(1) □ 은/는 100이 4개, 10이 6개, 1이 23개인 수입니다.

(2) □ 은/는 100이 2개, 10이 15개, 1이 5개인 수입니다.

(3) □ 은/는 100이 6개, 10이 26개, 1이 14개인 수입니다.

9 동전 5개 중 3개를 사용하여 나타낼 수 있는 세 자리 수를 모두 써 보세요.

(   )

10 510부터 뛰어서 센 것입니다. ㉮에 알맞은 수를 구해 보세요.

( )

11 세 자리 수의 크기를 비교하였습니다. □ 안에 들어갈 수 있는 한 자리 수를 모두 써 보세요.

(1) 5□3>572 ➔ ______

(2) □19<507 ➔ ______

12 수 모형 6개 중 3개를 사용하여 나타낼 수 있는 세 자리 수를 모두 써 보세요.

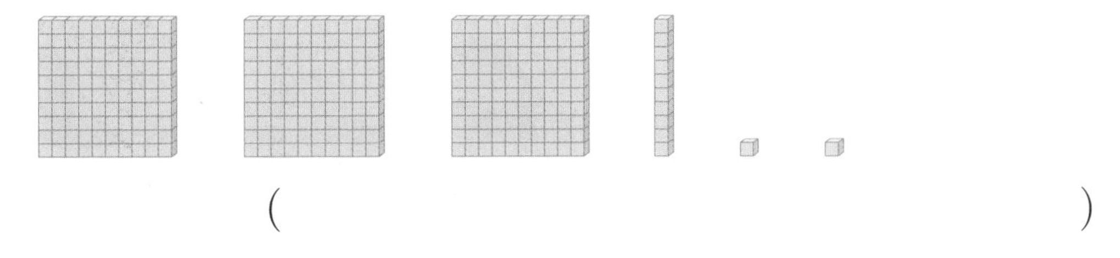

( )

13 기차가 250부터 100씩 뛰어서 세어 휴게소에 도착한 뒤 10씩 뛰어서 세었습니다. 빈칸에 알맞은 수를 써넣으세요.

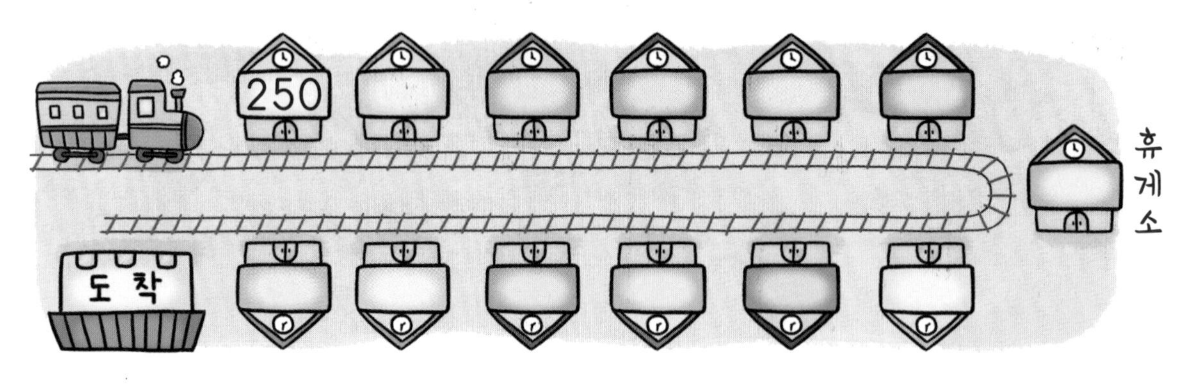

14 수 카드를 한 번씩 사용하여 세 자리 수를 만들려고 합니다. 만들 수 있는 세 자리 수 중 538보다 큰 수는 모두 몇 개일까요?

(　　　　　　　　)

15 같은 세 자리 수를 보고 동물들이 한 말입니다. 세 자리 수는 얼마인지 구해 보세요.

백의 자리 숫자는 6보다 크고 8보다 작습니다.

일의 자리 숫자는 십의 자리 숫자보다 큽니다.

십의 자리 숫자는 백의 자리 숫자보다 큽니다.

(　　　　　　　　)

2 여러 가지 도형

◯ 알아보기

그림과 같은 모양의 도형을 원이라고 합니다.

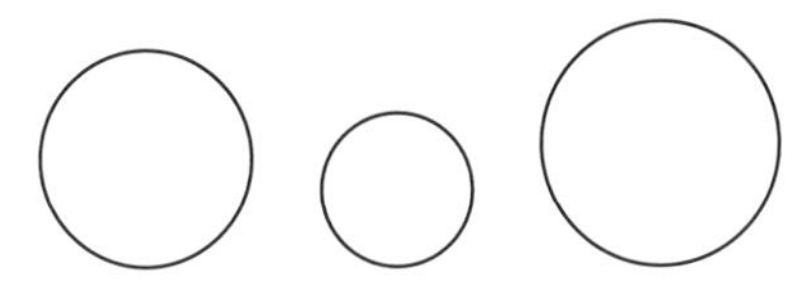

① 어느 쪽에서 보아도 똑같이 동그란 모양입니다.

② 크기는 다르지만 생긴 모양이 서로 같습니다.

△과 □ 알아보기

그림과 같은 모양의 도형을 삼각형이라고 합니다.

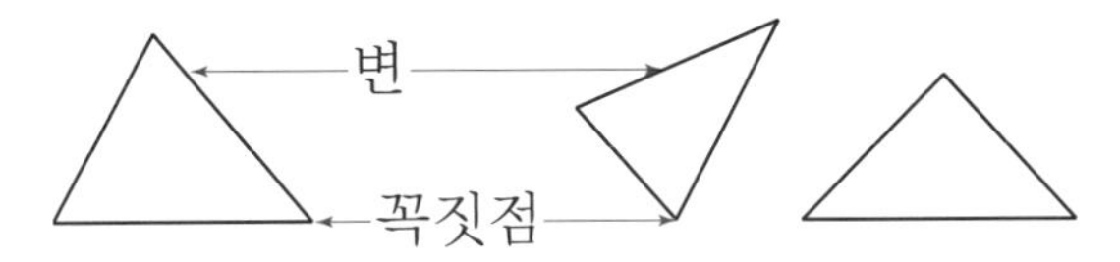

① 곧은 선들로 둘러싸여 있습니다.

② 변이 3개, 꼭짓점이 3개입니다.

그림과 같은 모양의 도형을 사각형이라고 합니다.

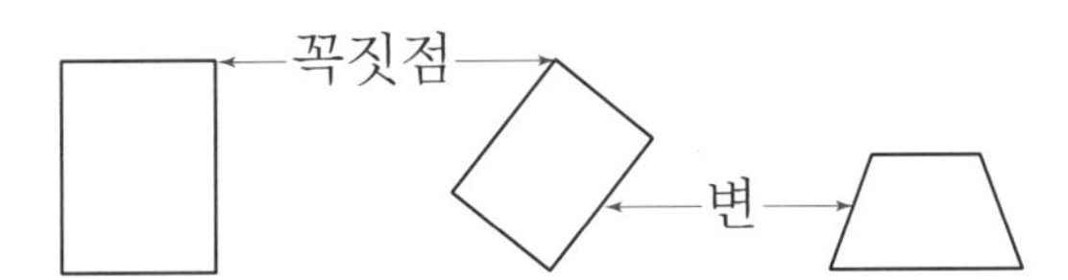

① 곧은 선들로 둘러싸여 있습니다.

② 변이 4개, 꼭짓점이 4개입니다.

칠교판으로 모양 만들기

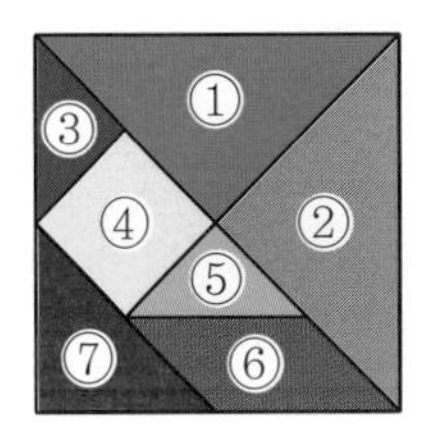

- 삼각형 조각: ①, ②, ③, ⑤, ⑦ ➔ 5개
- 사각형 조각: ④, ⑥ ➔ 2개

⬠과 ⬡ 알아보기

도형	⬠	⬡
이름	오각형	육각형
변의 수	5	6
꼭짓점의 수	5	6

똑같은 모양으로 쌓기

똑같이 쌓으려면 쌓기나무의 전체적인 모양, 쌓기나무의 수, 쌓기나무의 색, 쌓기나무를 놓은 위치나 방향, 쌓기나무 층수 등을 생각해야 합니다.

여러 가지 모양으로 쌓기

예 쌓기나무 3개로 만든 모양

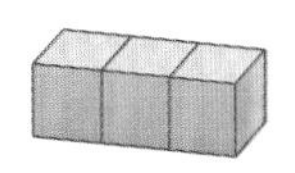

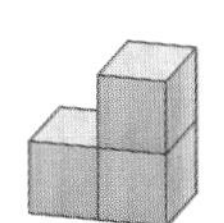

원 찾아보기

1 원에 적힌 수들의 합을 구해 보세요.

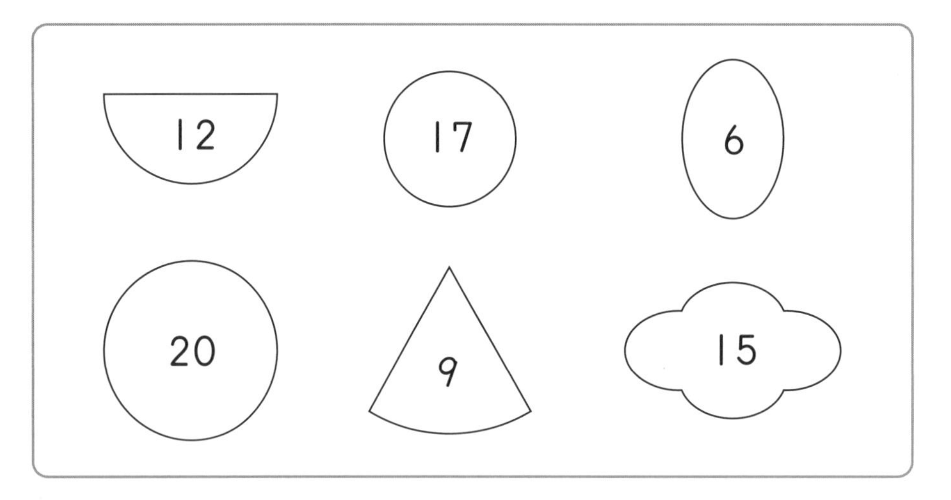

❶ 원을 모두 찾아 색칠해 보세요.

❷ 원에 적힌 수를 모두 써 보세요.

( )

❸ 원에 적힌 수들의 합을 구해 보세요.

( )

2 다음 모양은 원을 똑같이 4개로 나눈 것 중의 하나를 나타낸 것입니다. 이 모양을 겹치지 않게 이어 붙여 원 3개를 만들려면 모두 몇 개가 필요할까요?

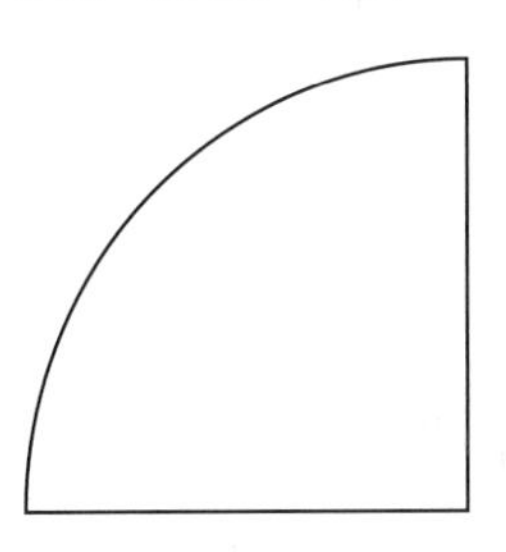

( )

3 다영이와 세형이가 그린 그림에서 찾을 수 있는 원은 모두 몇 개일까요?

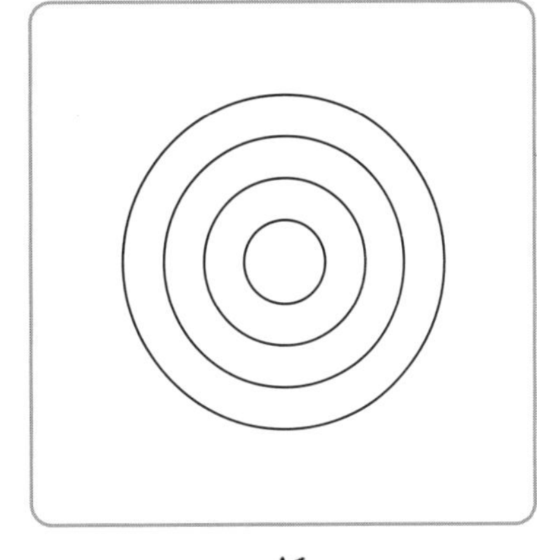

다영

세형

( )

유형 ② 변의 수, 꼭짓점의 수 구하기

문제 해결

1 나은이와 승기가 카드 놀이를 하고 있습니다. 카드에 그려진 도형의 변의 수의 합이 더 큰 사람이 이기는 놀이입니다. 놀이에서 이긴 사람은 누구일까요?

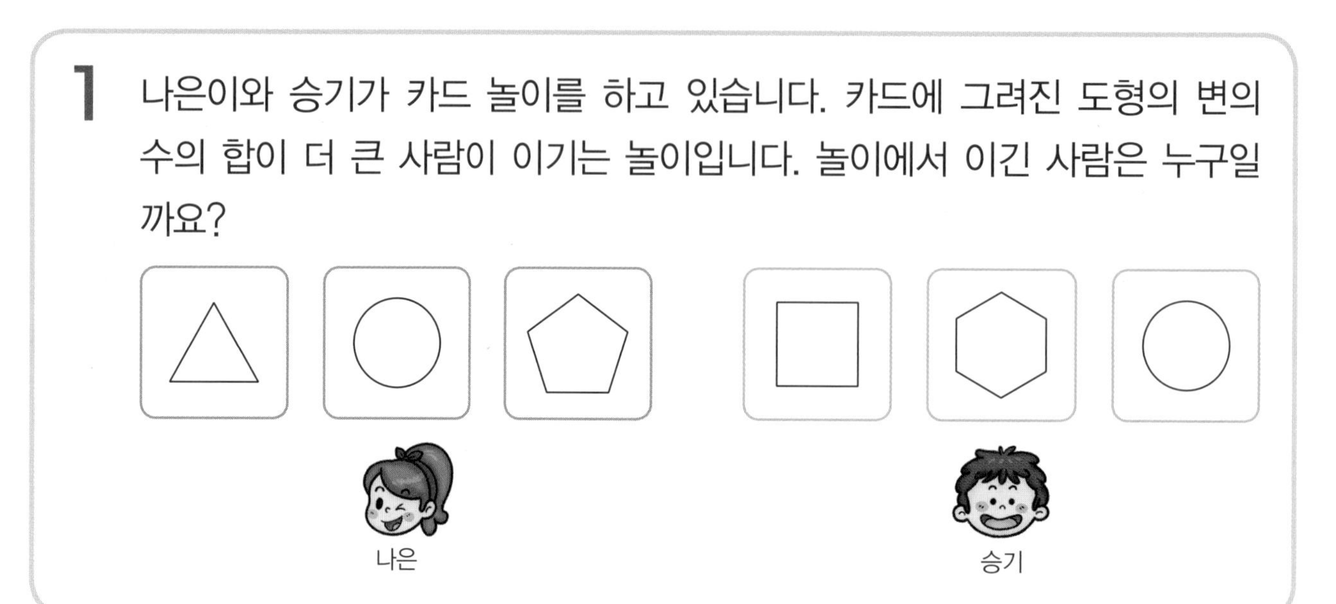

❶ 나은이가 가진 카드에 그려진 도형의 변의 수의 합을 구해 보세요.

(　　　　　　　)

❷ 승기가 가진 카드에 그려진 도형의 변의 수의 합을 구해 보세요.

(　　　　　　　)

❸ 놀이에서 이긴 사람은 누구일까요?

(　　　　　　　)

2 삼각형의 꼭짓점은 ●개, 오각형의 꼭짓점은 ■개, 원의 꼭짓점은 ▲개입니다.
●+■+▲의 값을 구해 보세요.

( )

3 가로칸에 있는 세 도형의 꼭짓점의 수의 합은 모두 같습니다. 빈칸에 알맞은 도형을 그려 보세요.

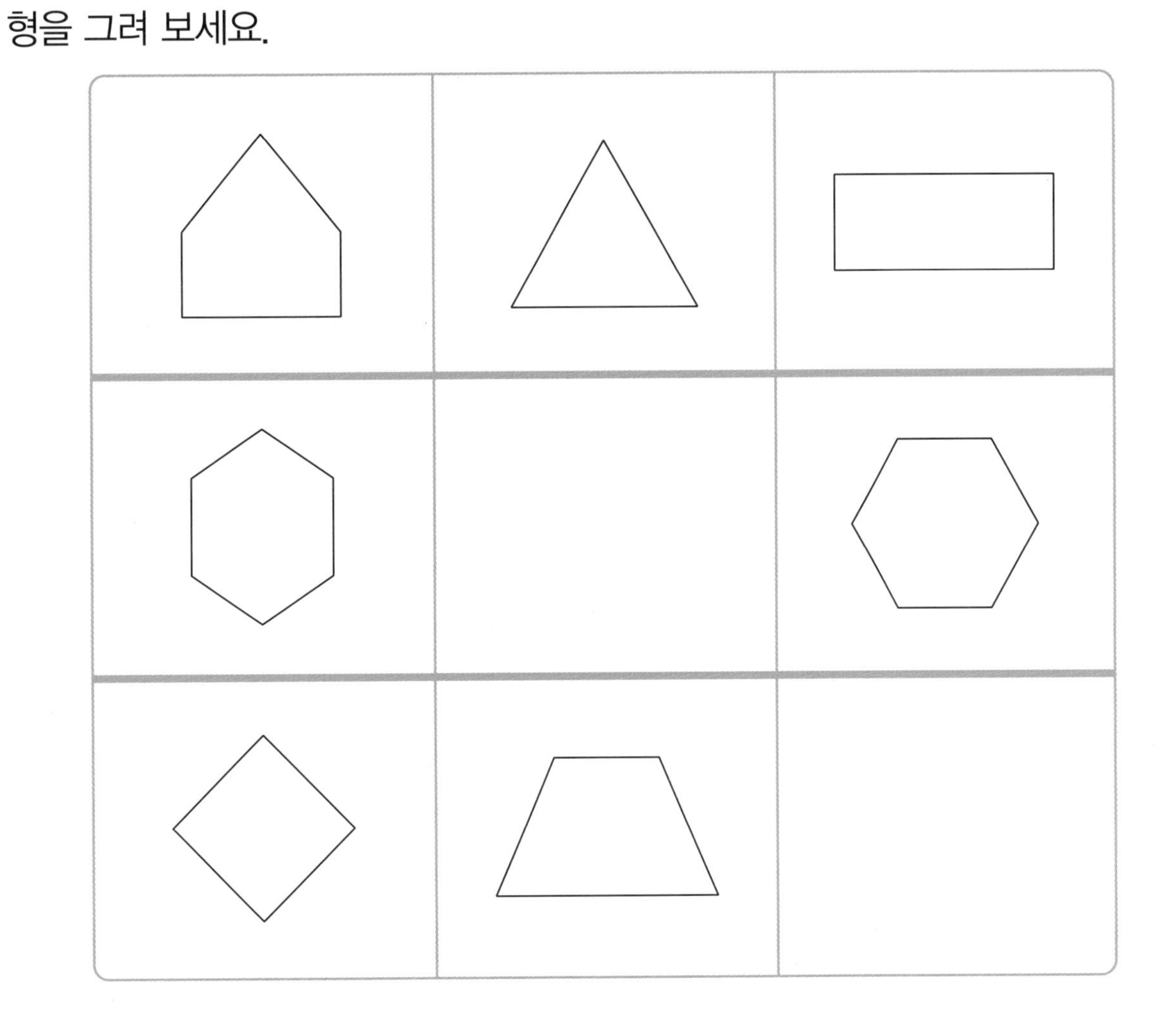

유형 3 색종이로 도형 만들기

추론

1 색종이를 그림과 같이 접은 다음 점선을 따라 잘랐습니다. 펼쳤을 때 ㉮ 부분에 만들어지는 도형의 이름을 써 보세요.

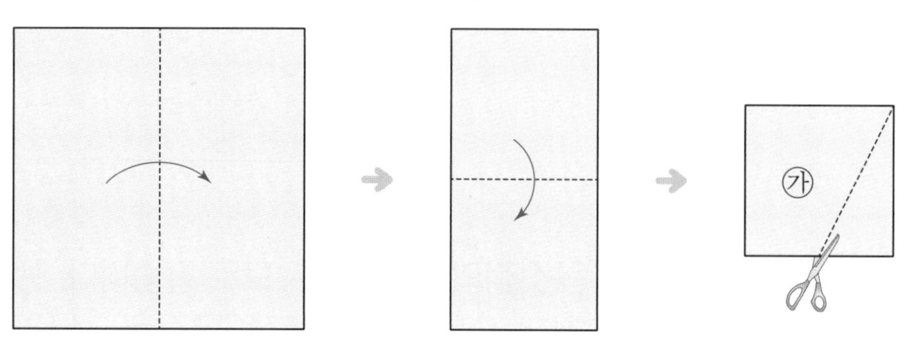

❶ 접은 그림을 거꾸로 펼쳤을 때를 나타낸 것입니다. 마지막 그림에 가위가 지나는 부분을 선으로 그어 보세요.

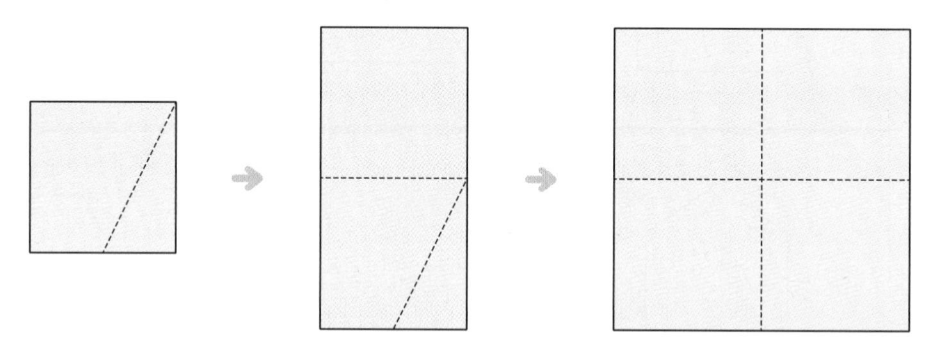

❷ ㉮ 부분에 만들어지는 도형의 이름을 써 보세요.

( )

2 색종이를 그림과 같이 3번 접었습니다. 종이를 펼쳐서 접은 선을 따라 자르면 어떤 도형이 몇 개 만들어지는지 써 보세요.

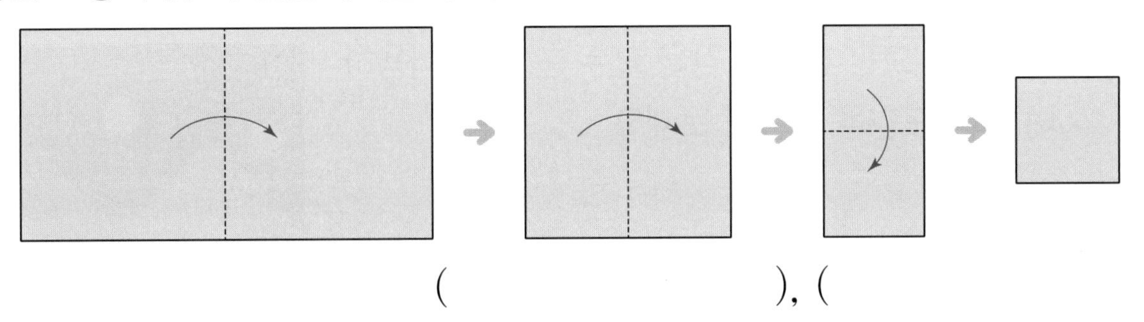

( ), ( )

3 색종이를 그림과 같이 반으로 접은 다음 점선을 따라 잘랐습니다. 펼쳤을 때 ㉮ 부분에 만들어지는 도형의 이름을 써 보세요.

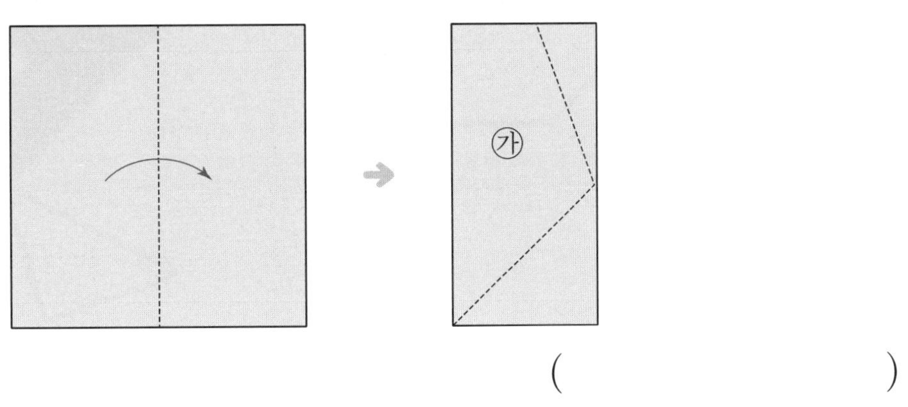

( )

유형 4 칠교판으로 모양 만들기

추론

준비물 붙임딱지

1 오른쪽 칠교판 일곱 조각을 모두 한 번씩 이용하여 다음 모양을 완성해 보세요.

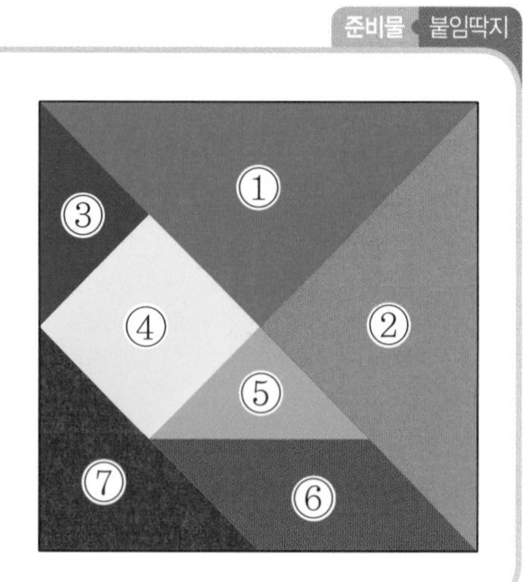

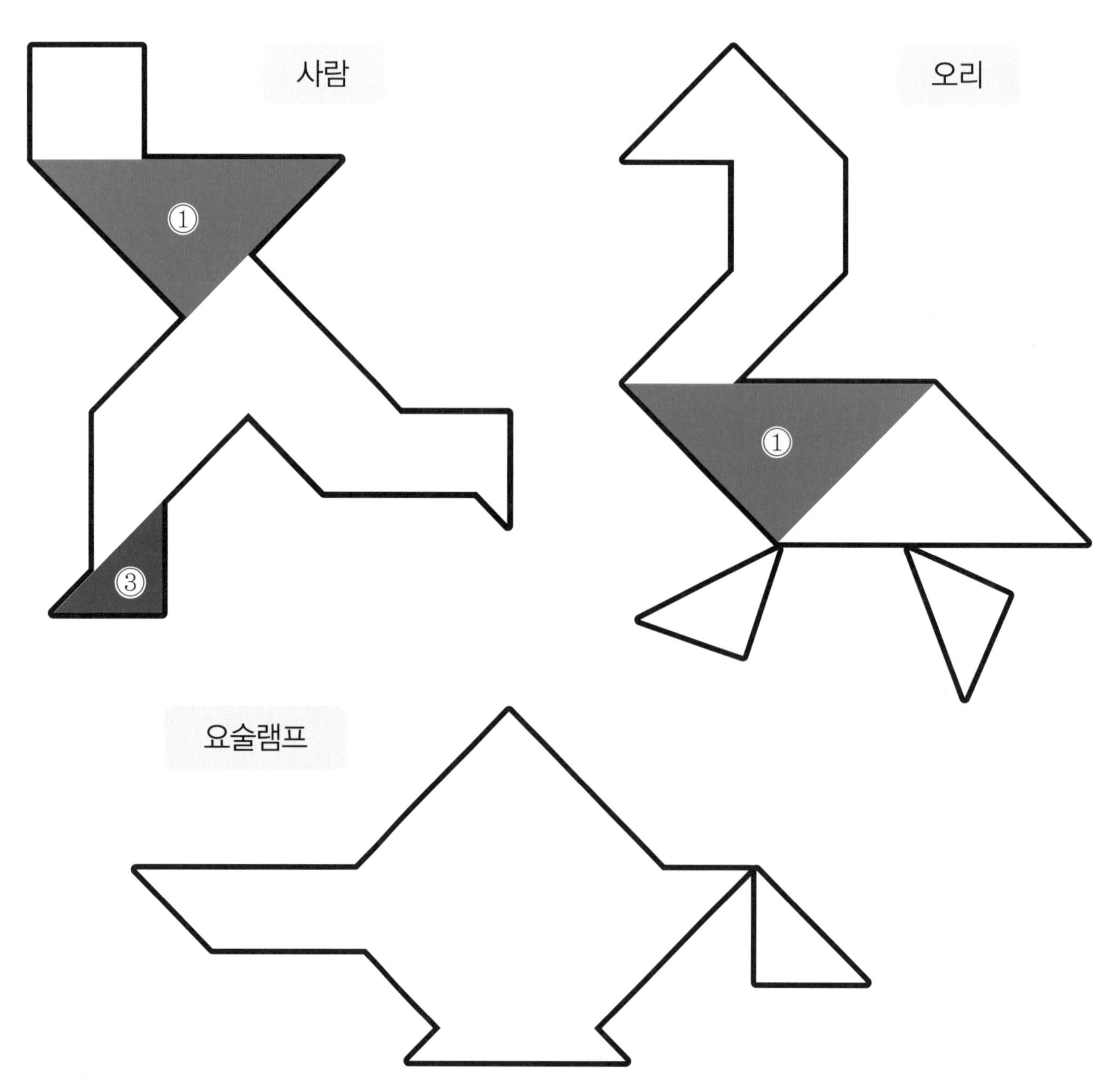

준비물 붙임딱지

2 빈 곳에 알맞은 퍼즐 조각 붙임딱지를 붙여 보세요.

3 보기 의 조각 중 4조각을 이용하여 오른쪽과 같은 사각형을 만들려고 합니다. 필요 없는 조각을 찾아 기호를 써 보세요.

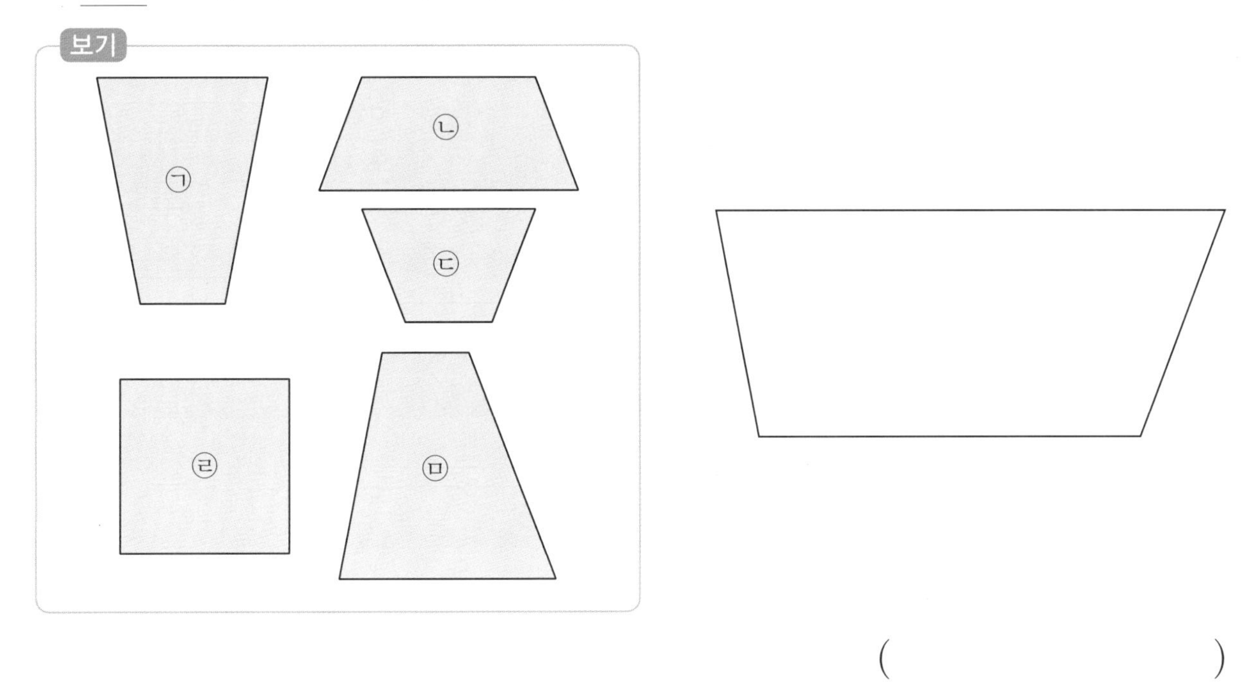

(　　　　　　　)

유형 5 쌓기나무의 수 구하기

문제 해결

1 영진이와 은지가 쌓기나무를 8개씩 가지고 있습니다. 각자 다음과 같은 모양을 만들고 남은 쌓기나무는 누가 더 많은지 구해 보세요.

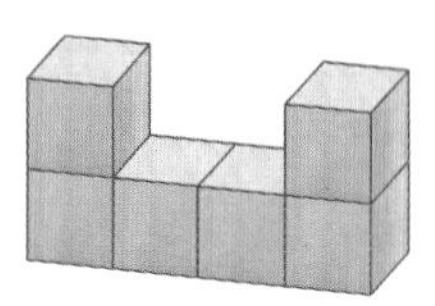

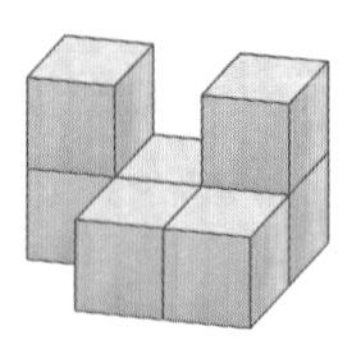

영진

은지

❶ 각 모양을 만들 때 쌓기나무는 각각 몇 개 필요할까요?

영진 (   )

은지 (   )

❷ 모양을 만들고 남은 쌓기나무는 각각 몇 개일까요?

영진 (   )

은지 (   )

❸ 남은 쌓기나무는 누가 더 많을까요?

(   )

2 주머니 안에 들어 있는 쌓기나무를 모두 사용하여 만들 수 있는 모양을 찾아 이어 보세요.

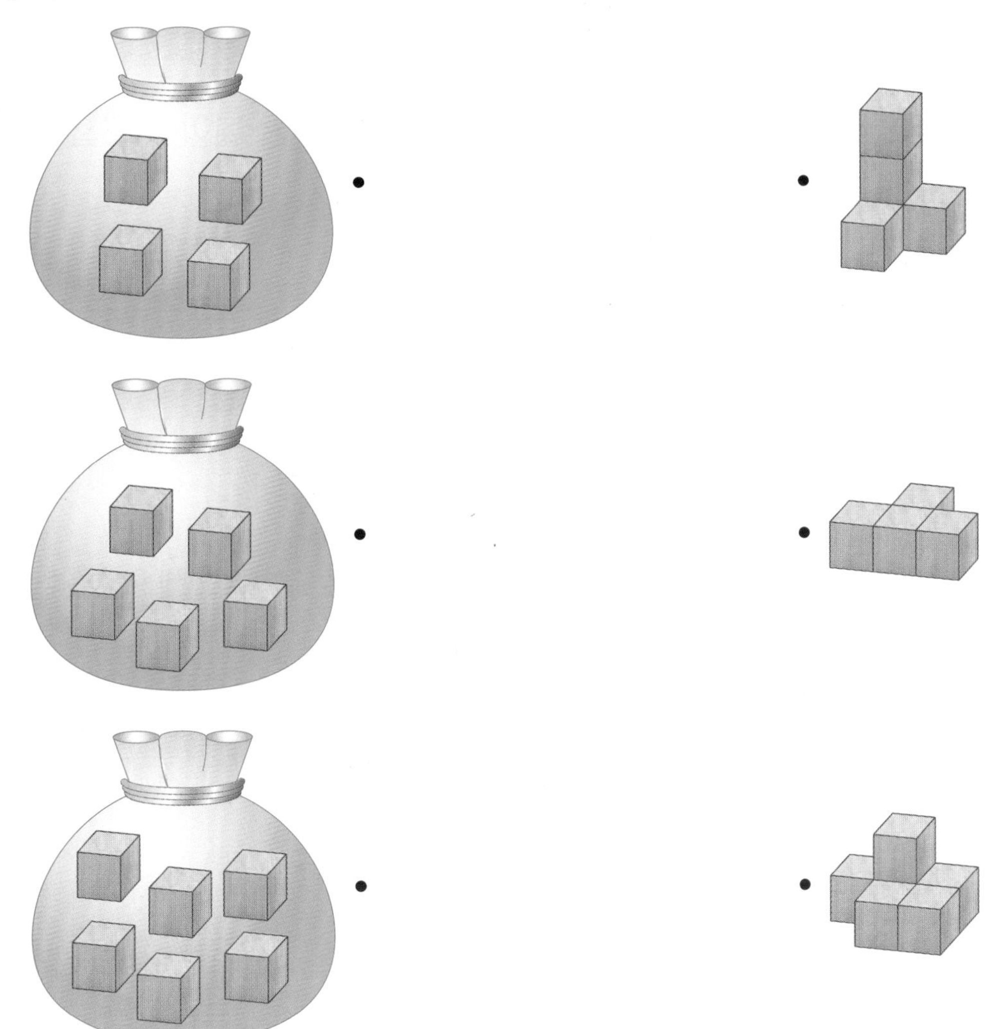

3 왼쪽 모양에 쌓기나무 3개를 더 쌓아서 만들 수 있는 모양을 찾아 기호를 써 보세요.

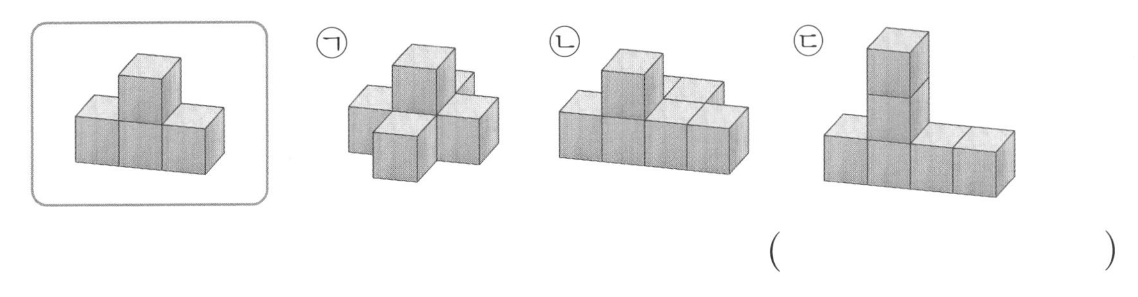

( )

유형 6 각 위치에서 바라본 모양

추론

1 보기는 쌓기나무로 쌓은 모양의 앞에서 불빛을 비추었을 때의 모양을 나타낸 그림입니다. 쌓기나무의 모양으로 알맞은 것을 찾아 기호를 써 보세요.

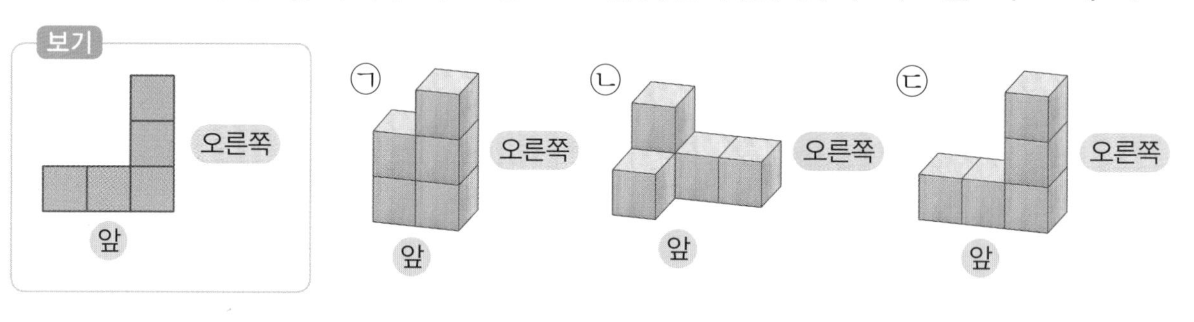

❶ 각 모양을 앞에서 보았을 때의 모양을 각각 그려 보세요.

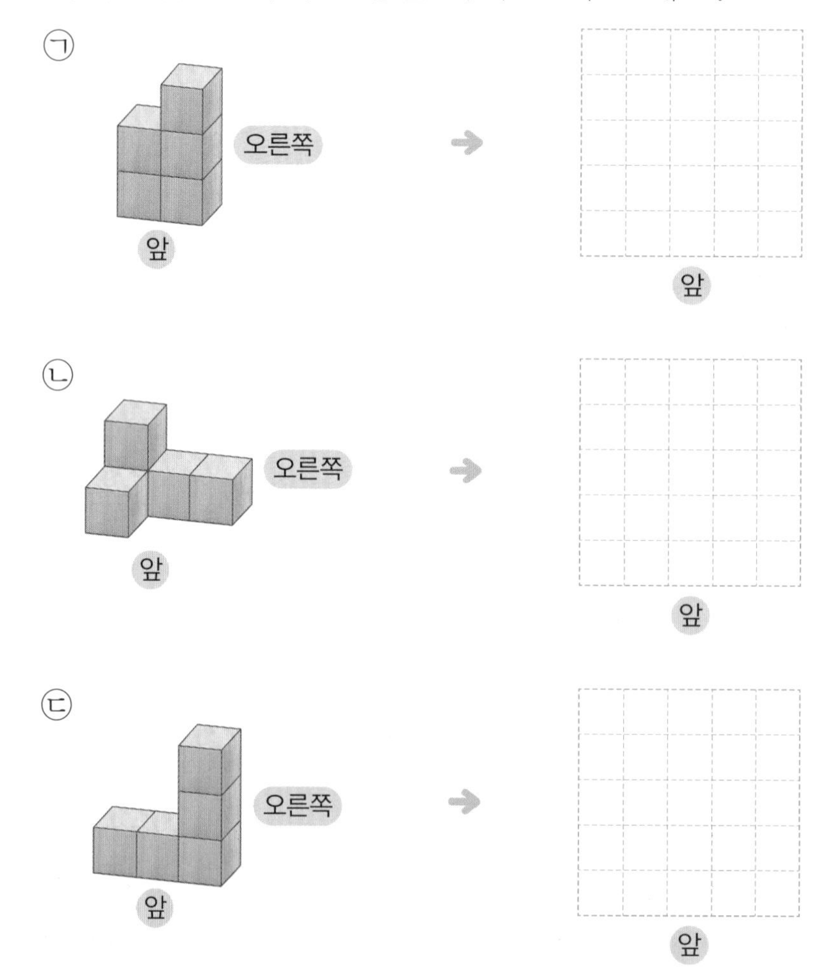

❷ 보기와 같은 쌓기나무의 모양으로 알맞은 것을 찾아 기호를 써 보세요.

(　　　　　　　　)

2 쌓기나무로 쌓은 모양을 위에서 보았을 때의 모양을 찾아 이어 보세요.

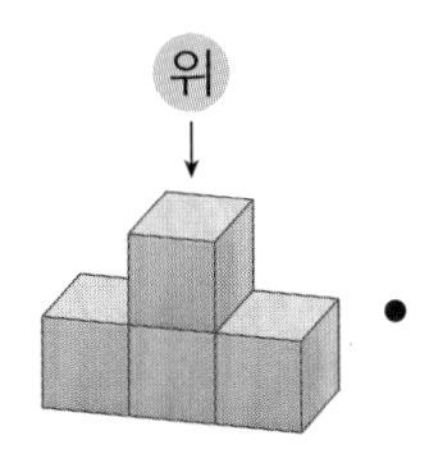

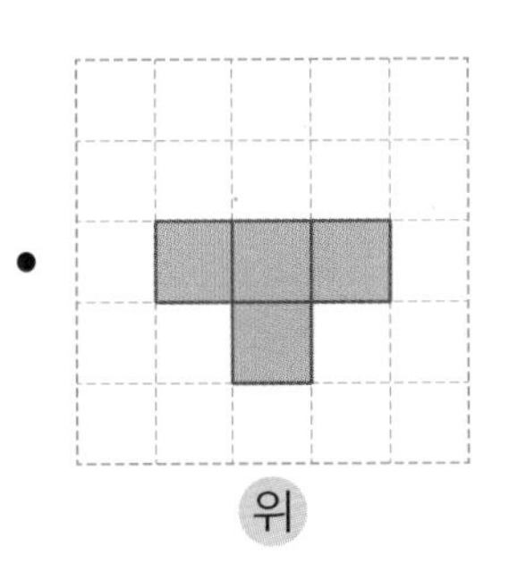

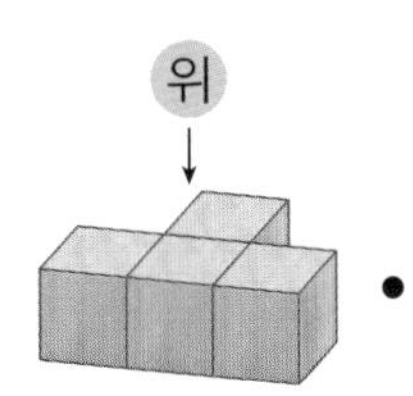

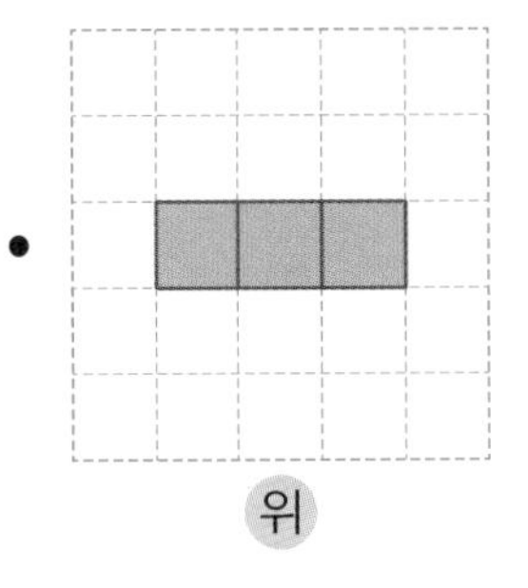

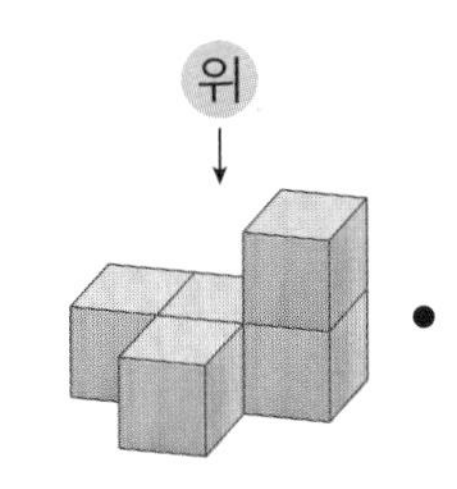

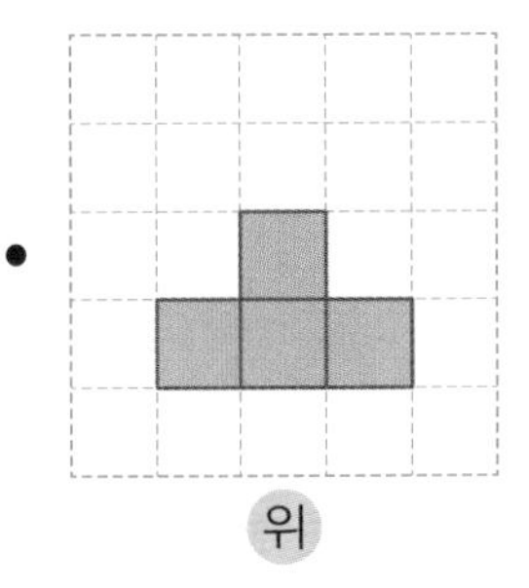

3 쌓기나무 4개로 쌓은 모양을 보고 위, 앞, 옆에서 본 모양을 각각 그려 보세요.

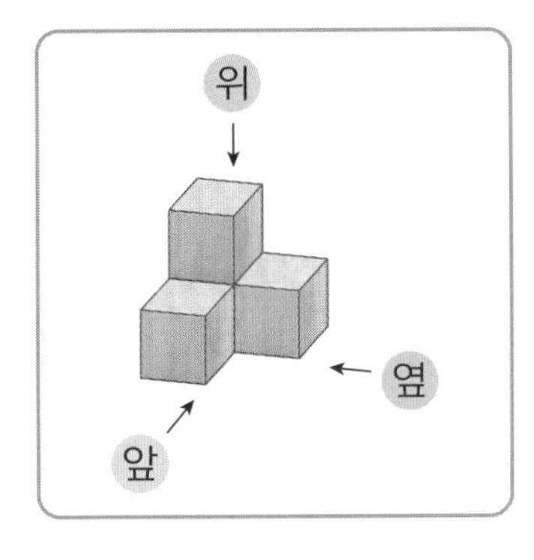

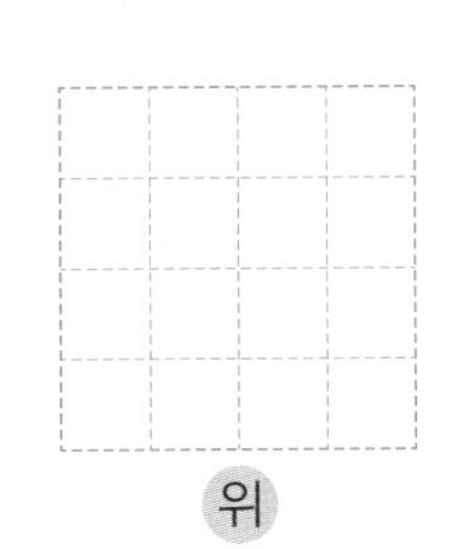

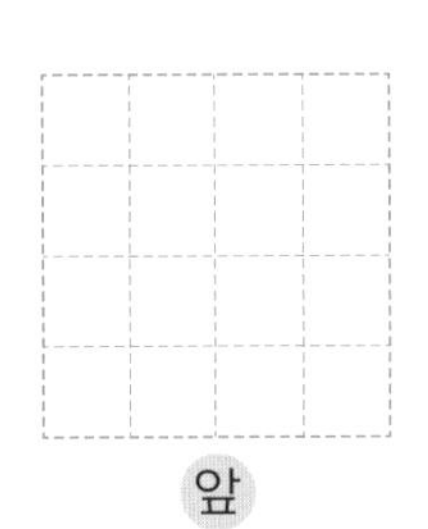

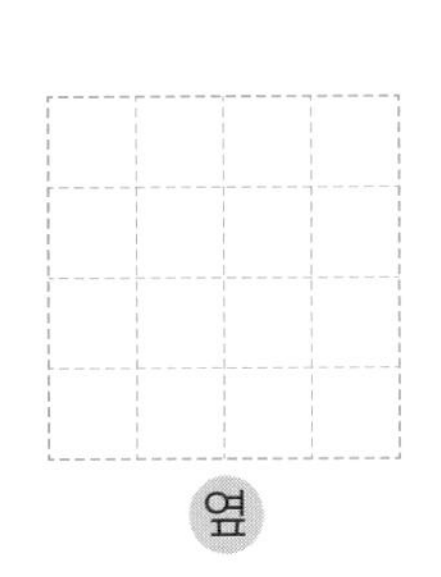

사고력 종합 평가

1 그림에서 찾을 수 있는 원은 모두 몇 개일까요?

( )

2 오른쪽 모양은 원을 똑같이 2개로 나눈 것 중의 하나를 나타낸 것입니다. 이 모양을 겹치지 않게 이어 붙여 원 6개를 만들려면 모두 몇 개가 필요할까요?

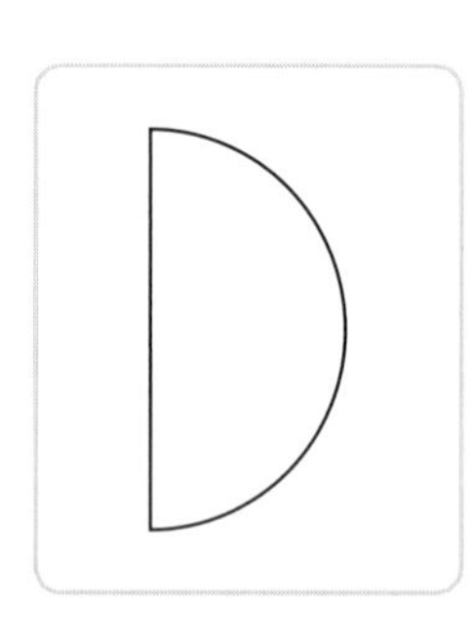

( )

3 네 도형의 변의 수의 합은 모두 몇 개일까요?

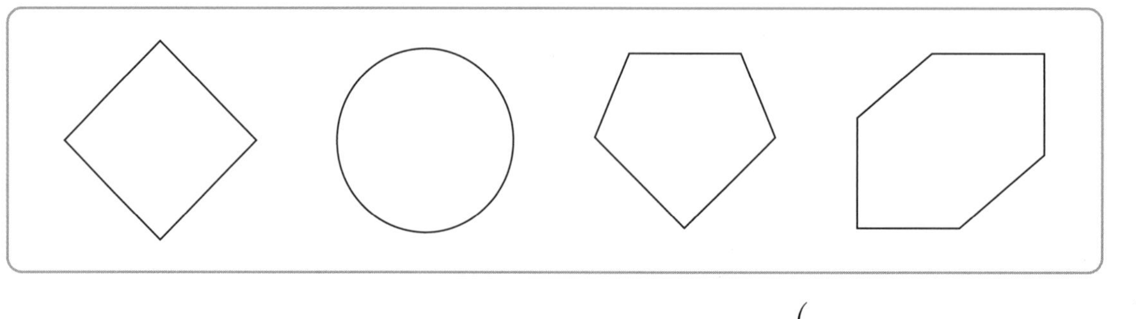

( )

4 꼭짓점의 수가 많은 도형부터 차례로 기호를 써 보세요.

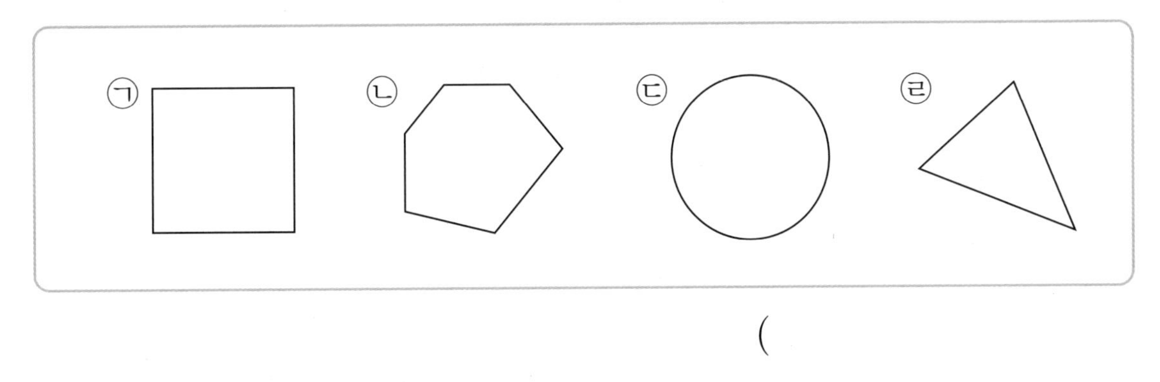

( )

5 종이 위의 세 점을 꼭짓점으로 하는 삼각형을 그리려고 합니다. 그린 선을 따라 자르면 어떤 도형이 몇 개 만들어지는지 써 보세요.

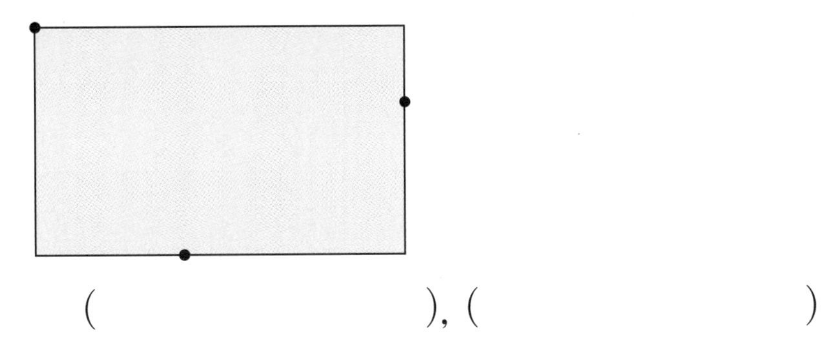

( ), ( )

6 삼각형 ㉮와 삼각형 ㉯의 꼭짓점도 되고, 사각형 ㉰의 꼭짓점도 되는 점을 찾아 번호를 써 보세요.

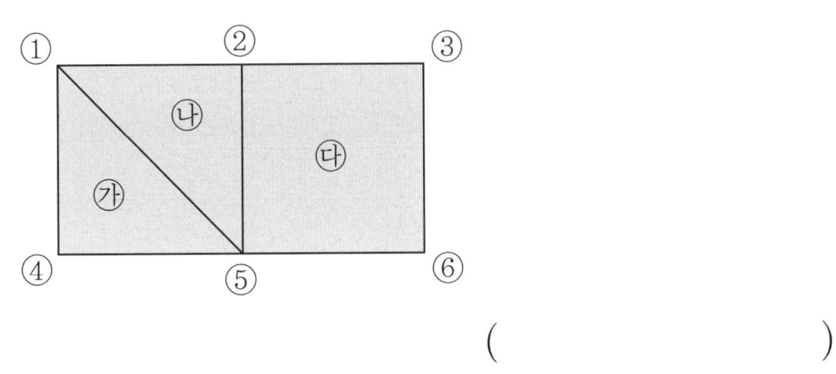

( )

7 색종이를 그림과 같이 반으로 접은 다음 점선을 따라 잘랐습니다. 펼쳤을 때 ㉮ 부분에 만들어지는 도형의 이름을 써 보세요.

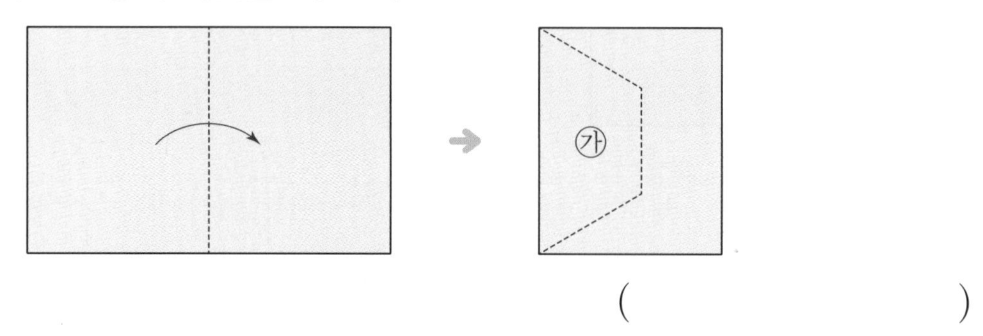

( )

8 종이를 점선을 따라 자르면 삼각형은 모두 몇 개 만들어질까요?

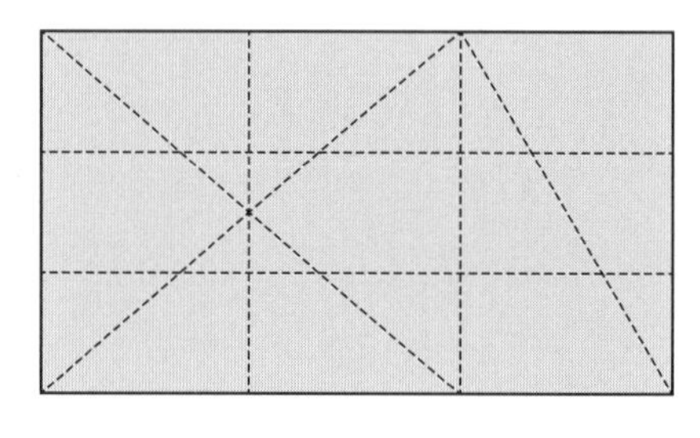

( )

9 조각을 맞추어 오른쪽과 같은 삼각형을 완성하려고 합니다. 빈 곳에 들어갈 알맞은 조각을 찾아 기호를 써 보세요.

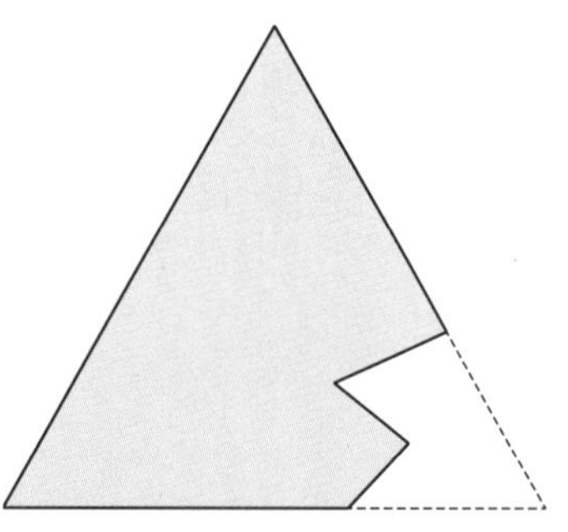

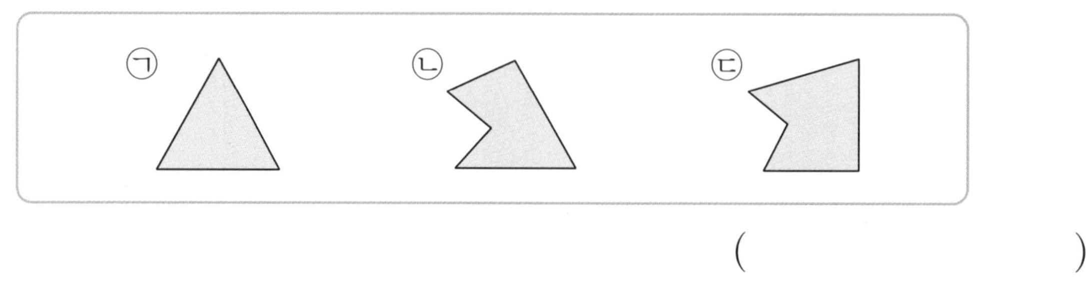

( )

[10~11] 칠교판 일곱 조각을 모두 한 번씩 이용하여 다음 모양을 만들어 보세요.

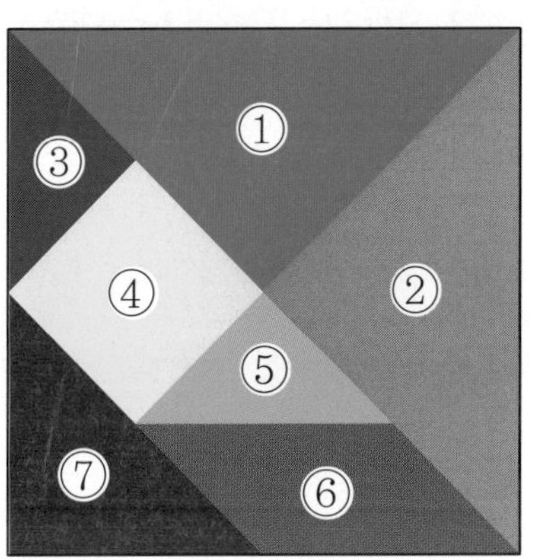

10

11

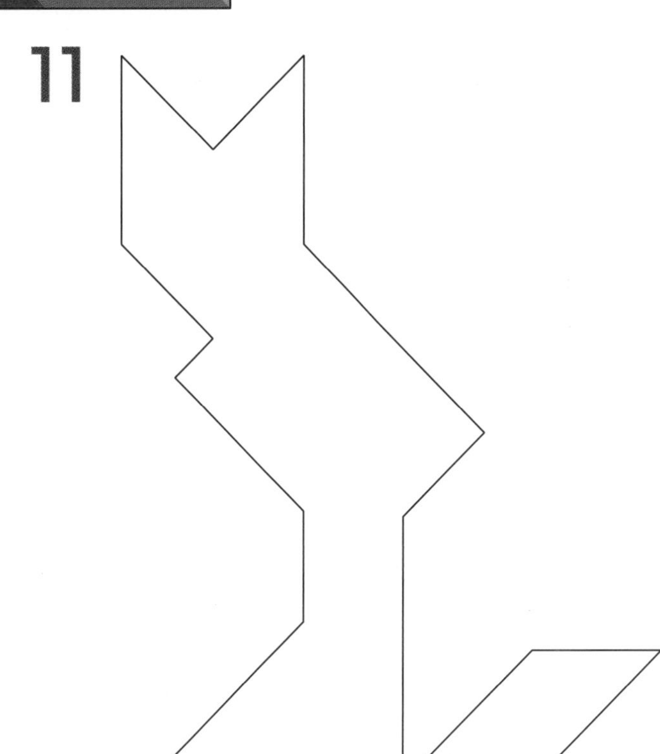

12 쌓기나무를 앞에서 본 모양으로 알맞은 것을 찾아 ○표 하세요.

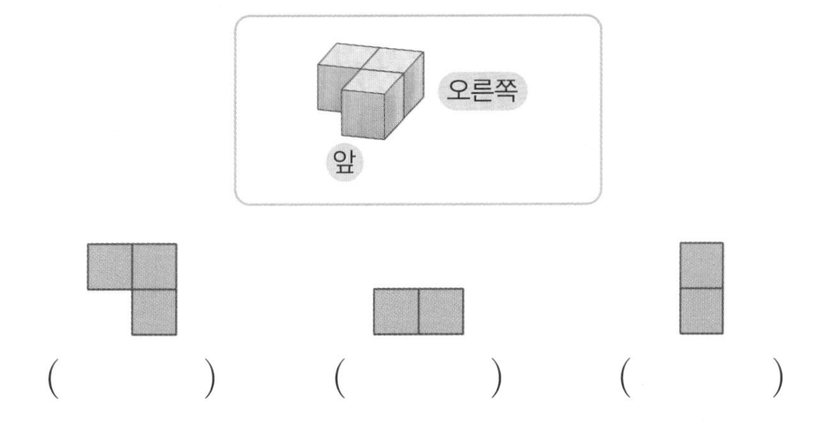

( ) ( ) ( )

13 쌓기나무로 쌓은 모양을 보고 위, 앞, 옆에서 본 모양을 각각 그려 보세요.

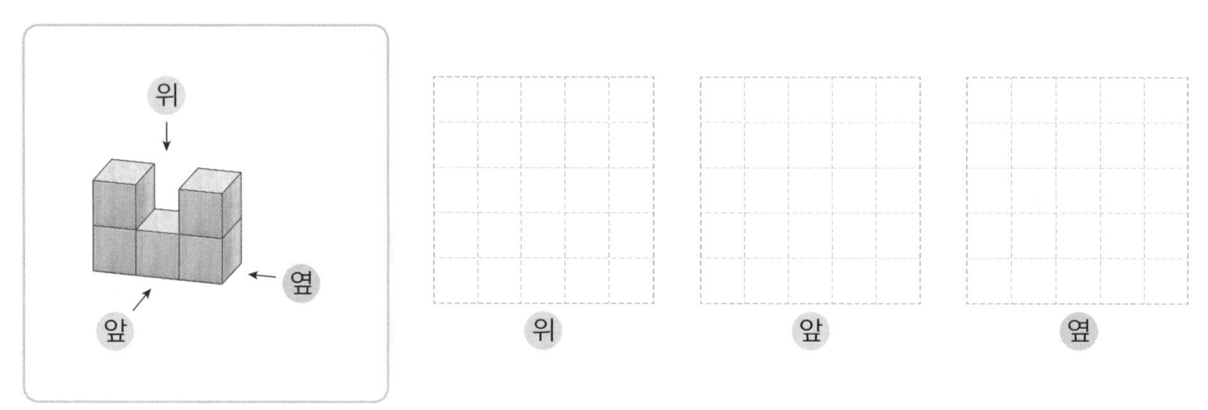

14 세 점을 곧은 선으로 이어서 만들 수 있는 삼각형은 모두 몇 개일까요?

( )

15 쌓기나무 5개로 만든 모양을 모두 찾아 ○표 하세요.

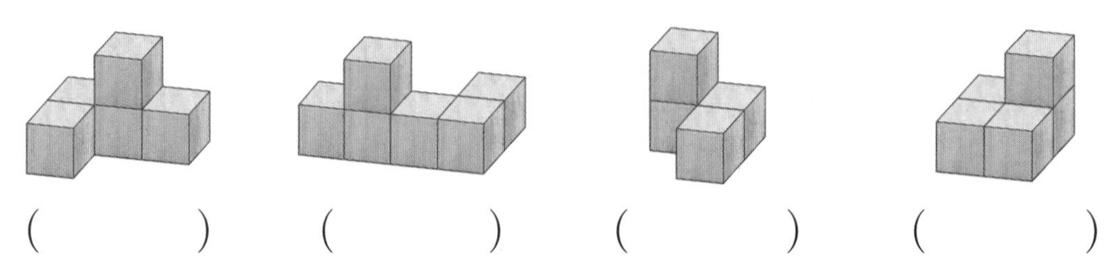

( ) ( ) ( ) ( )

3 덧셈과 뺄셈

(두 자리 수)+(한 자리 수), (두 자리 수)+(두 자리 수)

$$\begin{array}{r} \overset{1}{2}\,8 \\ +\;\;\;4 \\ \hline 3\,2 \end{array} \qquad \begin{array}{r} \overset{1}{2}\,6 \\ +\,3\,9 \\ \hline 6\,5 \end{array}$$

37+16을 여러 가지 방법으로 계산

방법1 37+16=37+3+13
=40+13=53

방법2 37+16=33+4+16
=33+20=53

(두 자리 수)−(한 자리 수), (두 자리 수)−(두 자리 수)

$$\begin{array}{r} \overset{2\;\;10}{\cancel{3}\;1} \\ -\;\;\;6 \\ \hline 2\,5 \end{array} \qquad \begin{array}{r} \overset{4\;\;10}{\cancel{5}\;4} \\ -\,1\,8 \\ \hline 3\,6 \end{array}$$

43−18을 여러 가지 방법으로 계산

방법1 43−18=43−10−8
=33−8=25

방법2 43−18=43−13−5
=30−5=25

덧셈과 뺄셈의 관계

- 덧셈식을 뺄셈식으로 나타내기

23+8=31 → 31−23=8, 31−8=23

- 뺄셈식을 덧셈식으로 나타내기

41−16=25 → 25+16=41, 16+25=41

□의 값 구하기

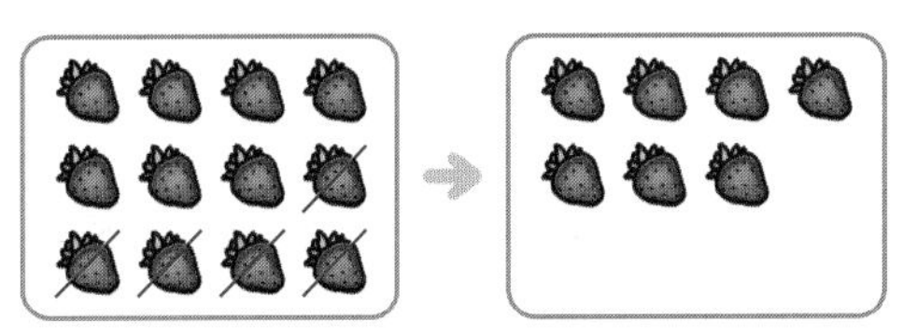

／로 지운 딸기의 수를 □로 나타내고 식을 쓰면 12−□=7입니다.

➔ □+7=12, 12−7=□, □=5

세 수의 계산

27+25−38=14
❶ 27+25=52
❷ 52−38=14

53−29+17=41
❶ 53−29=24
❷ 24+17=41

유형 1 나타내는 수 구하기(1)

문제 해결

1 🍎가 나타내는 수가 5일 때 🍈이 나타내는 수는 얼마인지 구해 보세요.

❶ 🍌가 나타내는 수는 얼마일까요?

(　　　　　　　　)

❷ 🍍이 나타내는 수는 얼마일까요?

(　　　　　　　　)

❸ 🍇가 나타내는 수는 얼마일까요?

(　　　　　　　　)

❹ 🍈이 나타내는 수는 얼마일까요?

(　　　　　　　　)

2 ♡가 나타내는 수가 4일 때 ☆이 나타내는 수는 얼마일까요?

♡ + ♡ + ♡ = △

△ + △ = ○ + 2

○ + △ − ♡ = ☆

(   )

3 ♧가 나타내는 수가 6일 때 △가 나타내는 수는 얼마일까요?

♧ + ♧ + ♧ = □ + 5

□ + □ = ☆

☆ + ♧ + □ = ○

○ + ○ = △ + ♧

(   )

유형 ② □ 안에 알맞은 수 구하기

문제 해결

1 □를 구하는 식을 쓰고 □ 안에 알맞은 수를 구하려고 합니다. 물음에 답하세요.

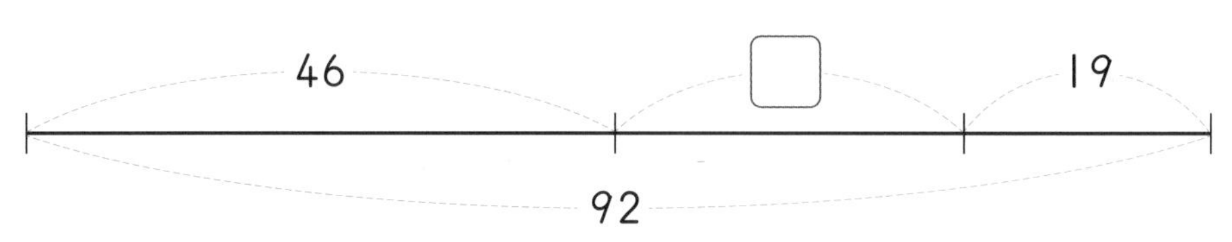

❶ 덧셈식을 뺄셈식으로, 뺄셈식을 덧셈식으로 나타내어 보세요.

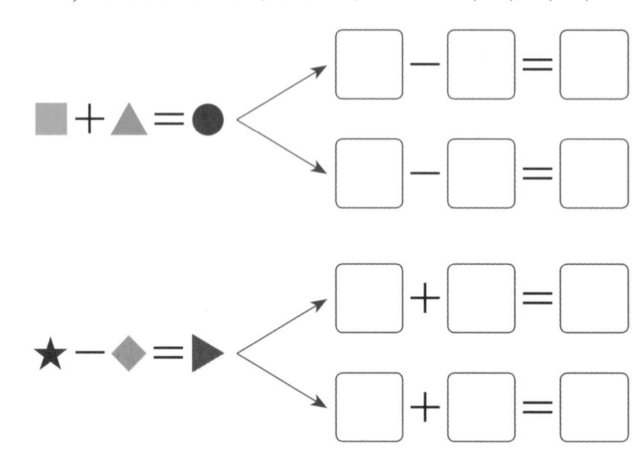

❷ 위 그림에서 □를 구하는 덧셈식을 쓰고 □ 안에 알맞은 수를 구해 보세요.

식 ______________________

답 ______________________

2 □를 구하는 식을 쓰고 □ 안에 알맞은 수를 구해 보세요.

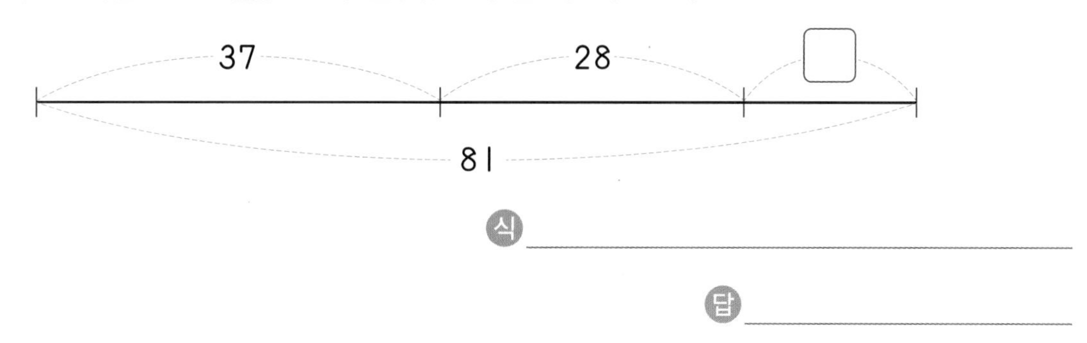

식 ______________________

답 ______________

3 그림을 보고 겹쳐진 부분에 알맞은 수를 구해 보세요.

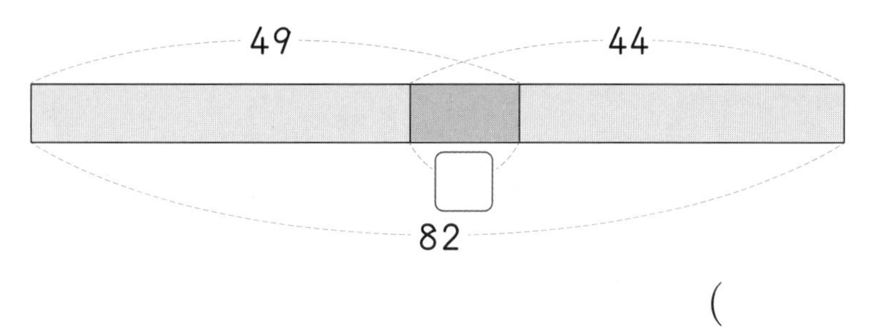

( )

4 그림을 보고 ㉠과 ㉡에 알맞은 수를 각각 구해 보세요.

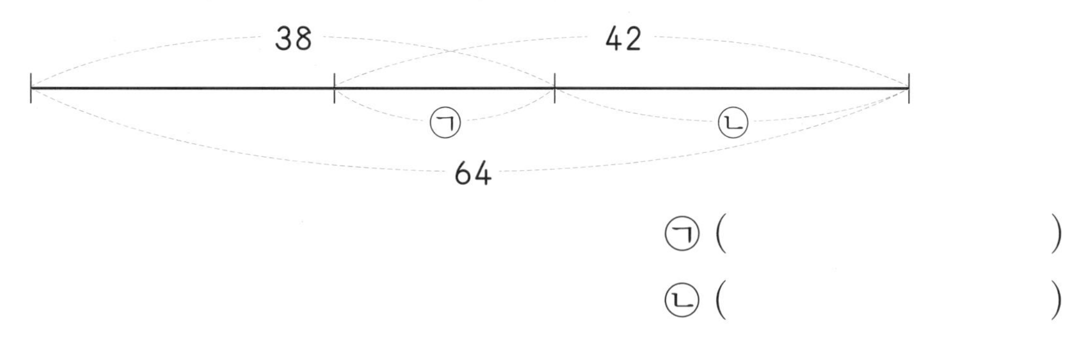

㉠ ( )

㉡ ( )

1 성냥개비를 가지고 보기와 같은 식을 만들었는데 계산이 맞지 않습니다. 계산이 맞도록 수를 나타내는 부분의 성냥개비 한 개를 보기와 같이 ×표로 지워 보세요.

보기

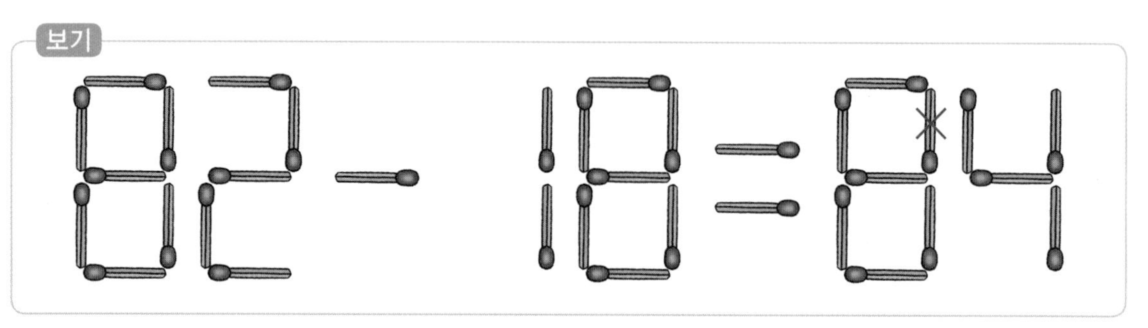

❶

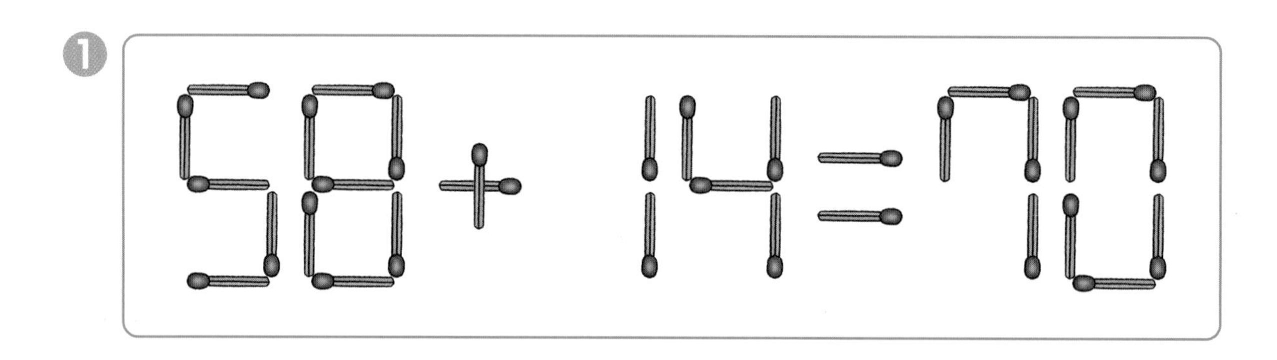

❷

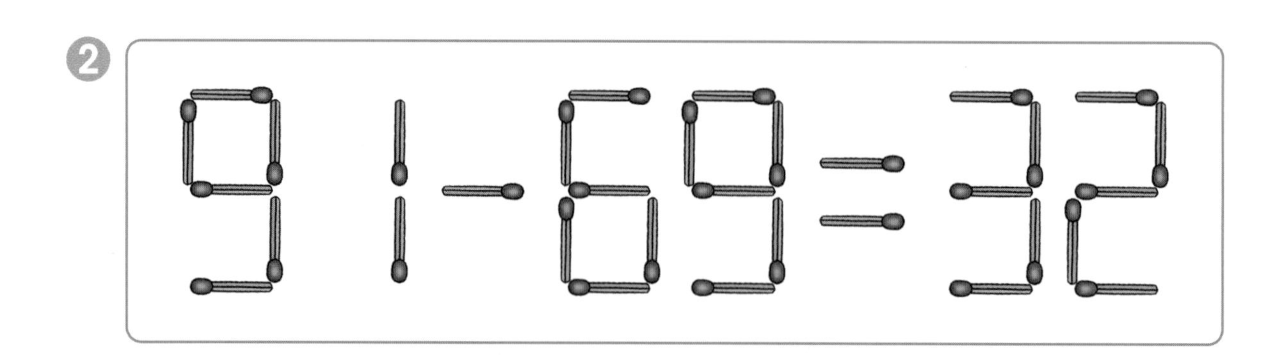

2 수 카드를 사용하여 뺄셈식을 만들었습니다. 계산이 맞도록 카드 한 장을 ×표로 지워 보세요.

9 2 − 3 5 = 8 7

3 7 − 2 8 = 1 9

준비물 붙임딱지

3 성냥개비를 가지고 다음과 같은 식을 만들었는데 식이 맞지 않습니다. 성냥개비 한 개를 옮겨서 식이 맞도록 성냥개비 붙임딱지를 붙여 완성해 보세요.

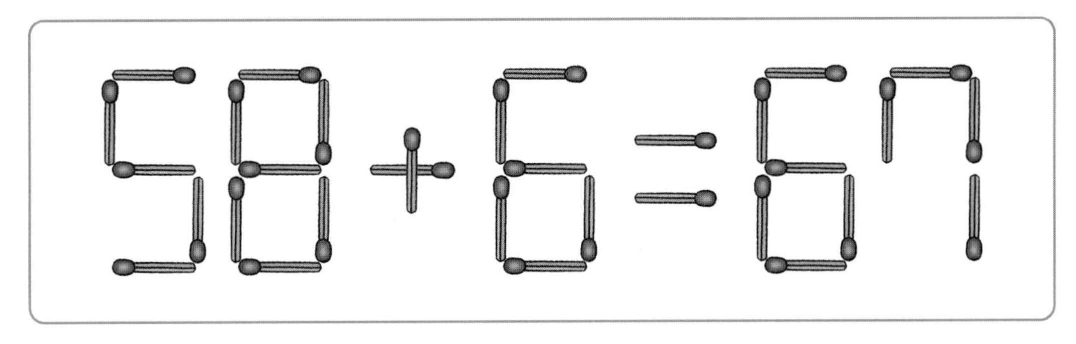

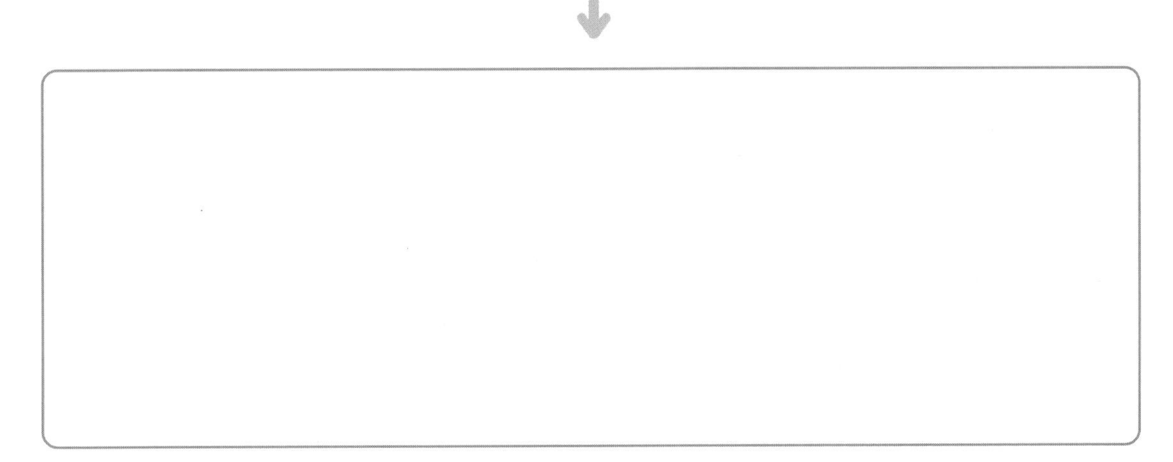

유형 4 합이 가장 큰(작은) 덧셈식 만들기 추론

1 수 카드를 모두 한 번씩 사용하여 덧셈식의 값이 가장 크게, 가장 작게 되도록 만들려고 합니다. 물음에 답하세요.

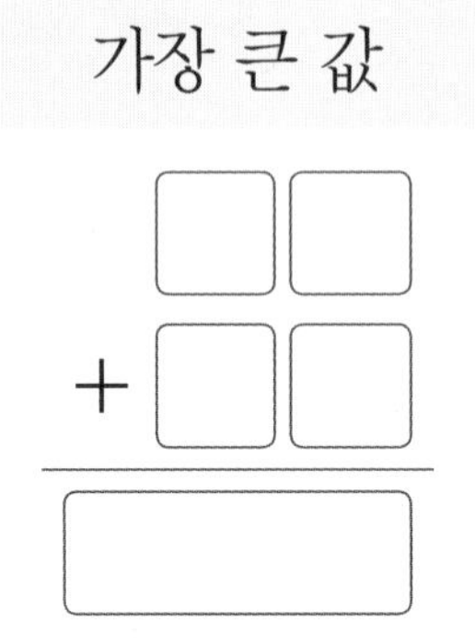

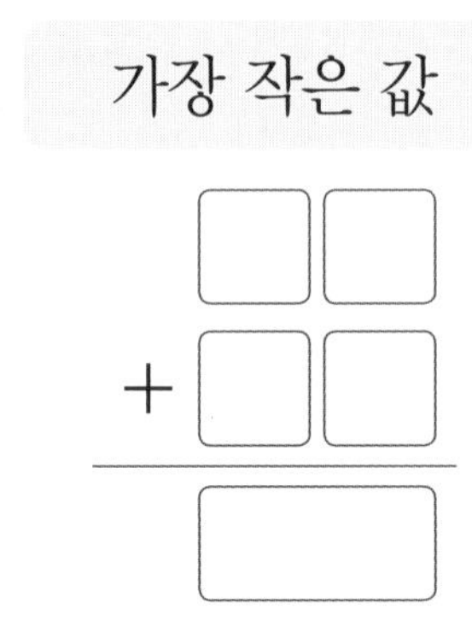

❶ 주어진 수 카드의 수의 크기를 비교해 보세요.

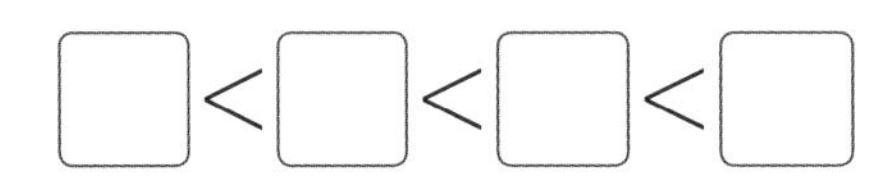

❷ 두 자리 수끼리의 합이 가장 큰 덧셈식을 만들려고 합니다. □ 안에 알맞은 수를 써넣으세요.

두 자리 수끼리의 합이 가장 큰 덧셈식은 두 자리 수의 십의 자리에 □와/과 □을/를 놓고, 일의 자리에 □와/과 □을/를 놓습니다.

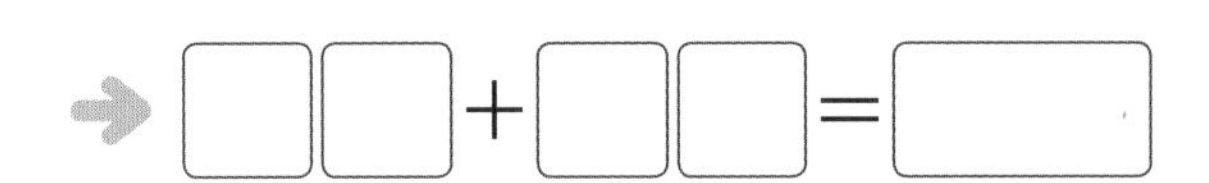

❸ 두 자리 수끼리의 합이 가장 작은 덧셈식을 만들려고 합니다. □ 안에 알맞은 수를 써넣으세요.

두 자리 수끼리의 합이 가장 작은 덧셈식은 두 자리 수의 십의 자리에 □와/과 □을/를 놓고, 일의 자리에 □와/과 □을/를 놓습니다.

➜ □□ + □□ = □

2 수 카드 4장을 한 번씩 모두 사용하여 덧셈식의 값이 가장 크게, 가장 작게 되도록 만들고 그 합을 각각 구해 보세요.

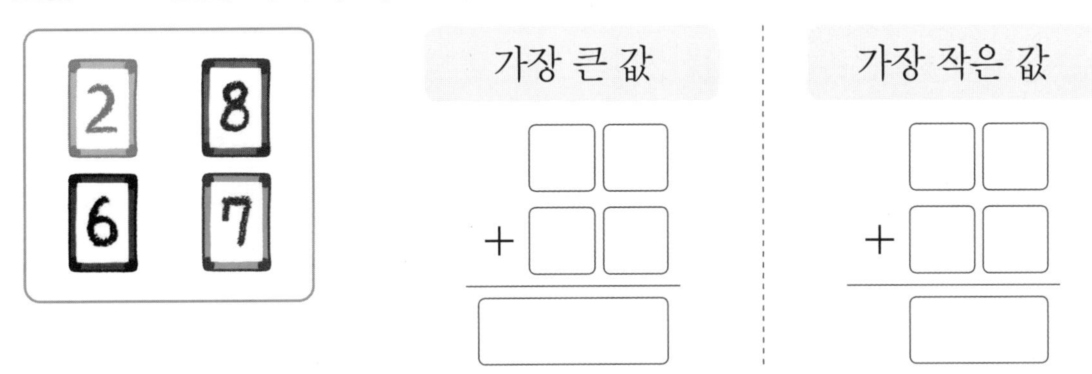

3 수 카드 5장 중 4장을 뽑아 한 번씩 사용하여 덧셈식의 값이 가장 크게, 가장 작게 되도록 만들고 그 합을 각각 구해 보세요.

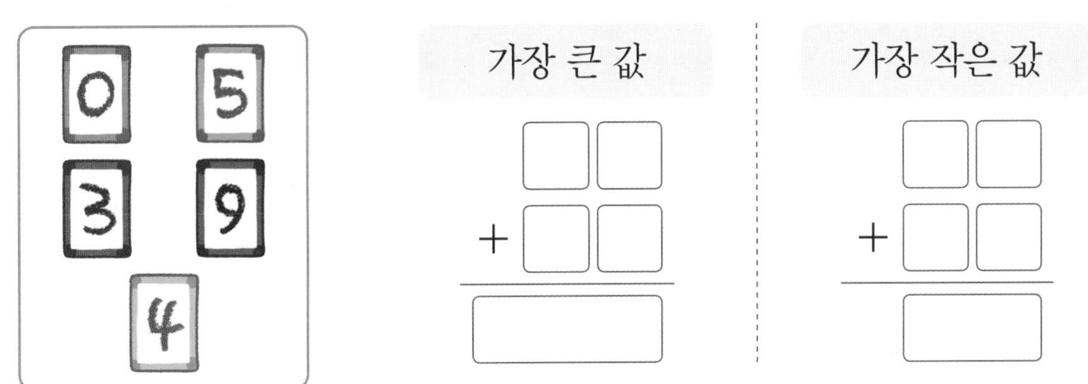

4 수 카드 6장 중 2장을 뽑아 한 번씩 사용하여 두 자리 수를 만들려고 합니다. 만들 수 있는 두 자리 수 중 가장 큰 수와 가장 작은 수의 합은 얼마인지 구해 보세요.

(   )

유형 5 카드에 적힌 수 구하기

문제 해결

1 정우와 혜미는 수 카드를 2장씩 가지고 있습니다. 정우가 가진 카드에 적힌 두 수의 합은 혜미가 가진 카드에 적힌 두 수의 합과 같습니다. 혜미가 가지고 있는 다른 수 카드에 적힌 수는 얼마인지 구해 보세요.

❶ 덧셈식을 보고 뺄셈식으로 나타내어 보세요.

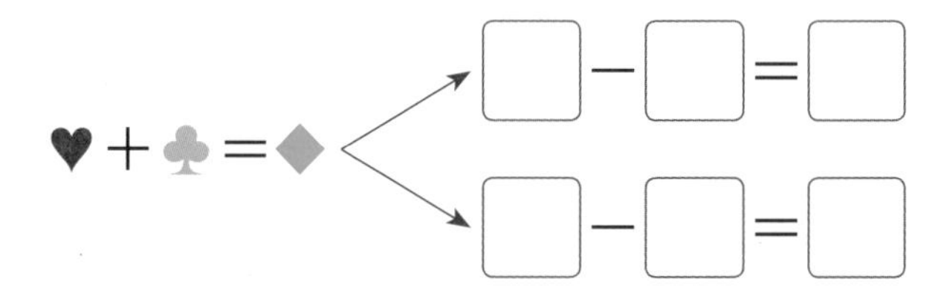

❷ 정우가 가진 수 카드에 적힌 두 수의 합은 얼마일까요?

(　　　　　　　　)

❸ 혜미가 가지고 있는 다른 수 카드에 적힌 수는 얼마인지 □를 사용한 덧셈식을 쓰고 답을 구해 보세요.

식 ______________________

답 ______________________

2 □ 안에 알맞은 수를 써넣으세요.

$$17+28+\square=35+46$$

3 한 원 안에 있는 수들의 합이 모두 같습니다. 빈 곳에 알맞은 수를 써넣으세요.

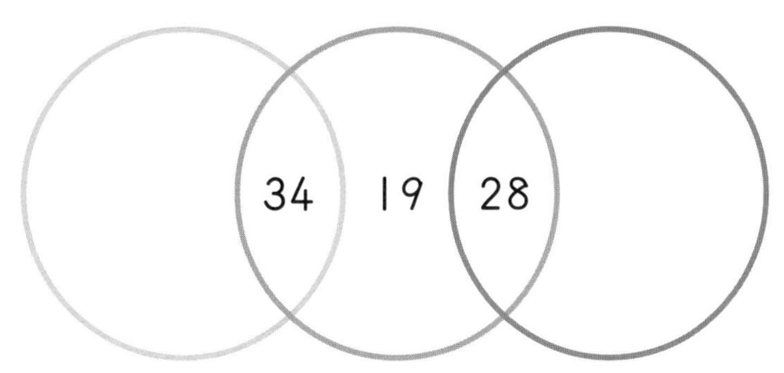

4 저울의 양쪽에 있는 두 수의 합이 같도록 빈 곳에 알맞은 수를 써넣으세요.

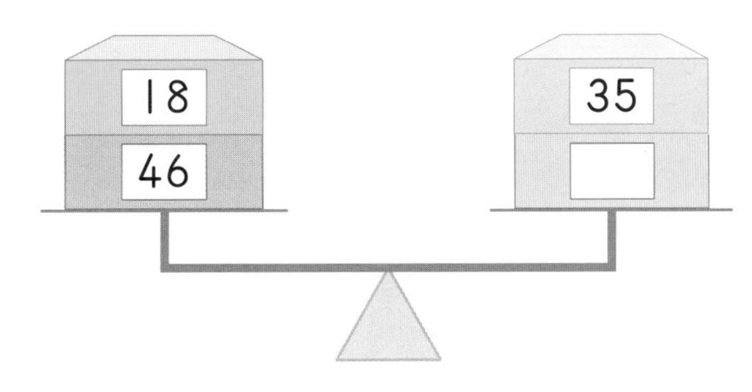

나타내는 수 구하기(2)

1 보기 와 같이 각각의 주어진 식에서 과일이 나타내는 수를 구해 보세요.

보기

72 − 🍎 − 🍎 = 62 → 🍎 = 5

❶ 55 − 🍈 − 🍈 = 35 → 🍈 = ☐

❷ 80 − 🍓 − 🍓 = 56 → 🍓 = ☐

❸ 49 − 🍌 − 🍌 = 27 → 🍌 = ☐

❹ 61 − 🍇 − 🍇 = 43 → 🍇 = ☐

❺ 37 − 🍉 − 🍉 = 7 → 🍉 = ☐

2 식이 성립하도록 ○ 안에 + 또는 −를 알맞게 써넣으세요.

(1) 19 ○ 27 ○ 18 = 64

(2) 39 ○ 46 ○ 27 = 58

(3) 55 ○ 37 ○ 18 = 36

(4) 72 ○ 48 ○ 15 = 39

(5) 60 ○ 35 ○ 24 = 71

(6) 91 ○ 17 ○ 47 = 27

사고력 종합 평가

1 ○가 나타내는 수가 3일 때 ♡가 나타내는 수는 얼마일까요?

○ + ○ + ○ + ○ = △

△ + ○ = ☆

☆ + ☆ = ♡ + 7

(　　　　　　　　)

2 오른쪽 덧셈식에서 같은 모양은 같은 한 자리 수를 나타냅니다. ○, ☆, △에 알맞은 수를 각각 구해 보세요.

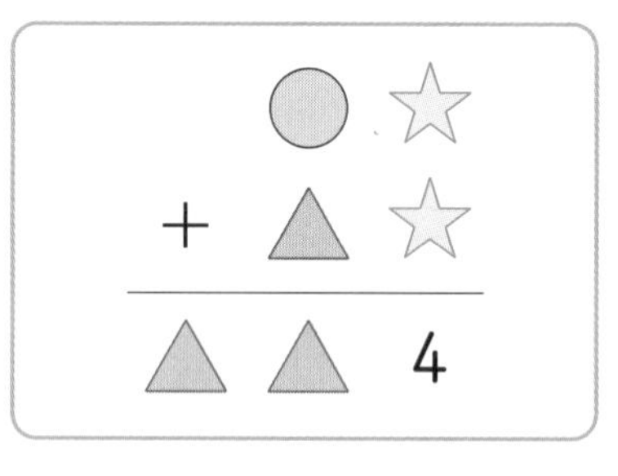

○ (　　　　　　), ☆ (　　　　　　), △ (　　　　　　)

3 수직선을 보고 □ 안에 알맞은 수를 구해 보세요.

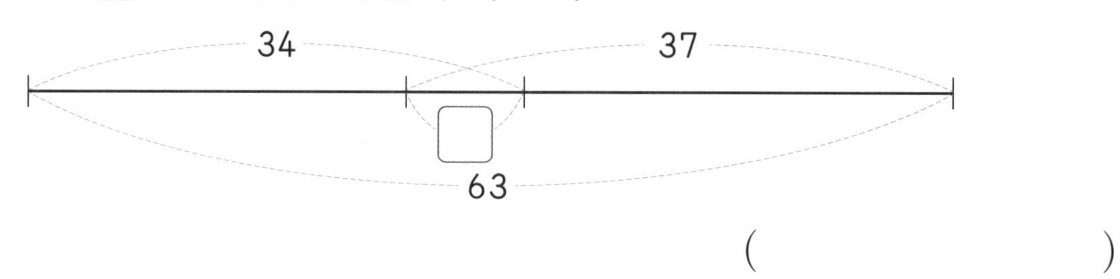

(　　　　　　　　)

4 성냥개비를 사용하여 식을 만들었습니다. 계산이 맞도록 수를 나타내는 부분의 성냥개비 한 개를 ×로 지워 보세요.

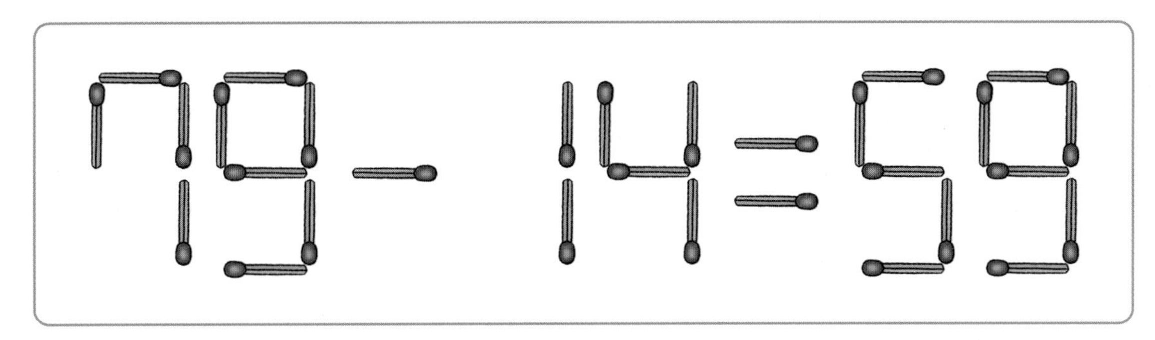

3 단원

5 그림과 같이 72를 넣으면 45가 나오는 상자가 있습니다. 이 상자에 80을 넣으면 얼마가 나올까요?

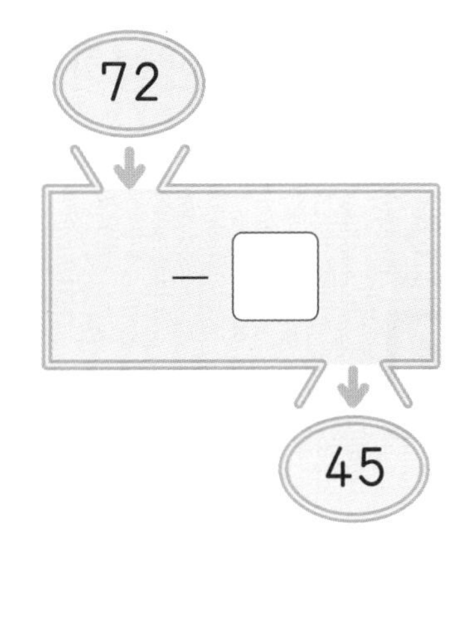

( )

6 풍선 13개 중 몇 개의 풍선이 터졌습니다. 남은 풍선이 7개일 때 터진 풍선은 몇 개인지 □를 사용하여 식으로 나타내고 답을 구해 보세요.

식 ______________________

답 ______________________

7 수 카드를 모두 한 번씩 사용하여 덧셈식의 값이 가장 크게, 가장 작게 되도록 식을 완성하고 그 합을 각각 구해 보세요.

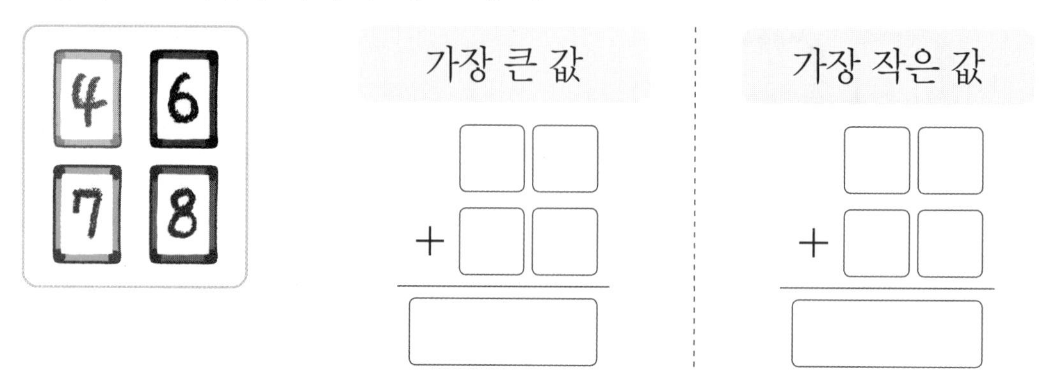

8 수 카드 4장을 한 번씩 모두 사용하여 차가 가장 작은 뺄셈식을 만들려고 합니다. 두 수의 차가 가장 작은 뺄셈식을 완성하고 계산해 보세요.

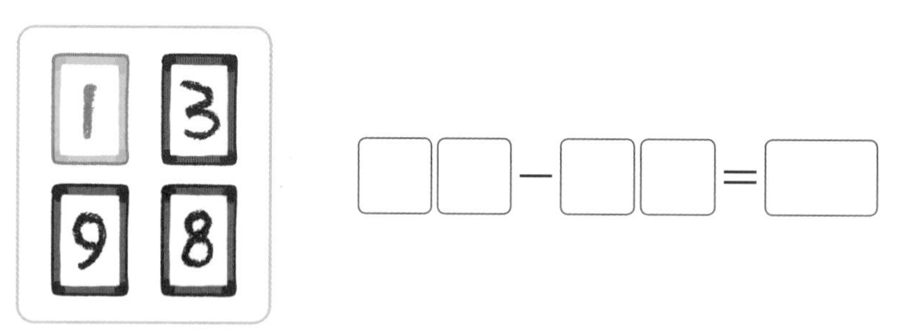

9 한 원 안에 있는 수들의 합이 모두 같습니다. 빈 곳에 알맞은 수를 써넣으세요.

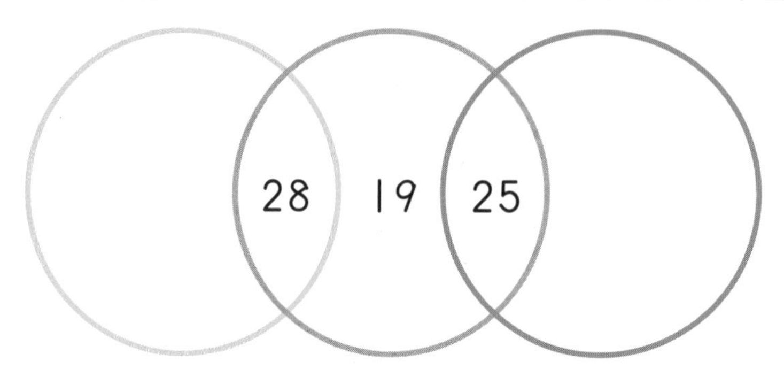

10 주어진 식을 보고 ♡와 ☆에 알맞은 수를 각각 구해 보세요.

80 − ♡ − ♡ = 54 ➜ ♡ = □

62 − ☆ − ☆ = 48 ➜ ☆ = □

11 식이 성립하도록 ○ 안에 + 또는 −를 알맞게 써넣으세요.

62 ○ 27 ○ 15 = 50

12 가영이가 가진 카드에 적힌 두 수의 합은 민재가 가진 카드에 적힌 두 수의 합과 같습니다. 가영이가 가진 다른 수 카드에 적힌 수는 얼마일까요?

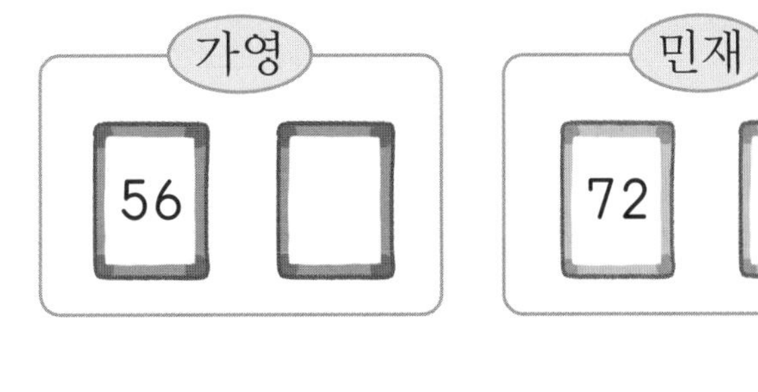

(　　　　　　　　)

13 보기는 같은 선 위의 양쪽 끝에 있는 두 수의 차를 가운데에 쓴 것입니다. 보기와 같은 방법으로 □ 안에 알맞은 수를 써넣으세요.

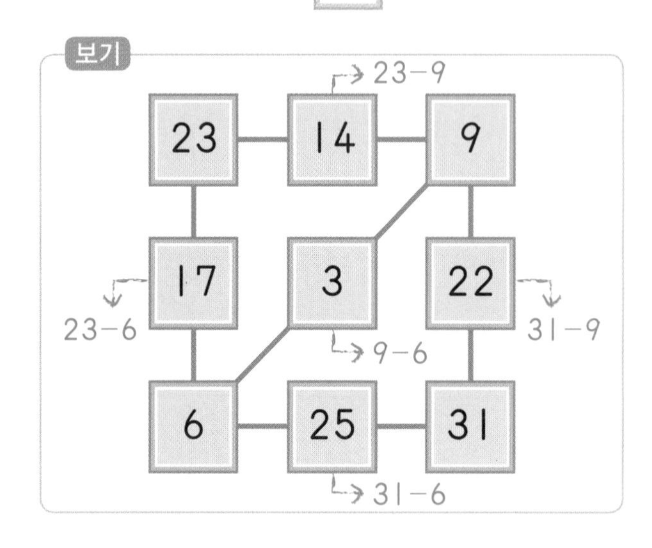

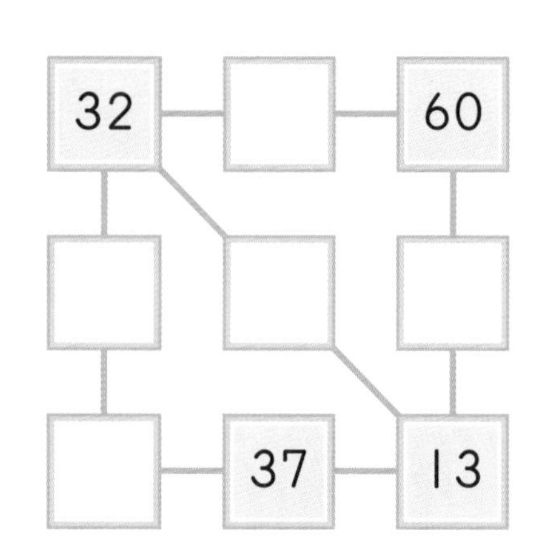

14 다음은 고대 이집트 사람들이 수를 나타낼 때 사용하던 기호입니다.

이집트 수	𓏺	𓏻	𓏼	𓏽	𓏾	𓏿	𓐀	𓐁	𓐂	𓎆
아라비아 수	1	2	3	4	5	6	7	8	9	10

“𓏻𓎆 ➔ 12”와 같이 수를 오른쪽에서 왼쪽으로 썼습니다. 아래의 계산에서 □ 안에 알맞은 수를 아라비아 수로 써 보세요.

𓐀𓎆𓎆𓎆𓎆 + 𓐀𓎆𓎆 − □ = 𓏿𓎆𓎆𓎆

( )

4 길이 재기

몸을 이용하여 길이 재기

뼘, 한 팔, 양팔, 한 보(걸음) 등을 사용할 수 있습니다.

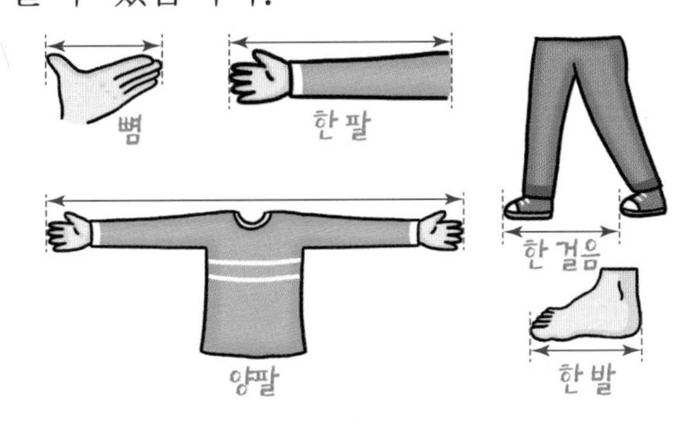

여러 가지 단위로 길이 재기

길이를 잴 때 사용할 수 있는 단위에는 여러 가지가 있습니다.

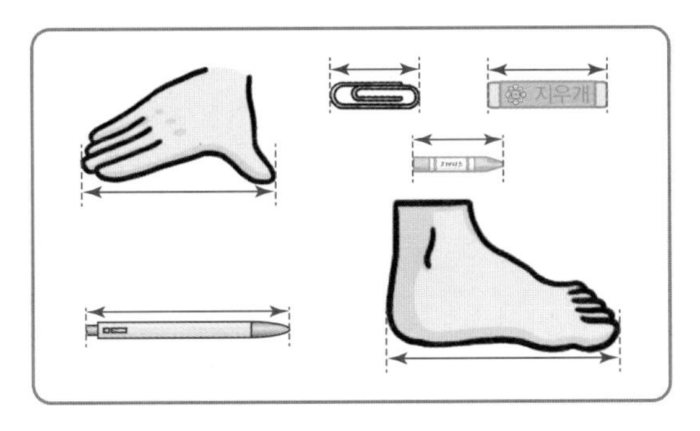

I cm 알아보기

▬의 길이를 I cm 라 쓰고 I 센티미터라고 읽습니다.

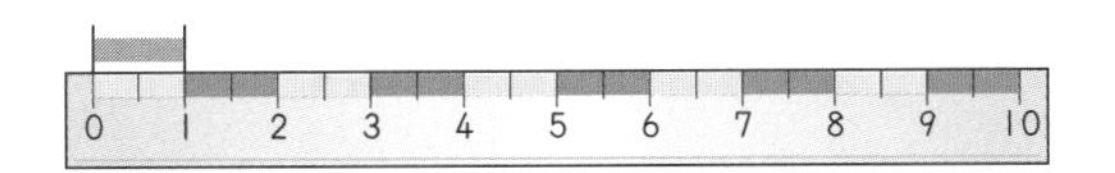

자로 길이 재기(1)

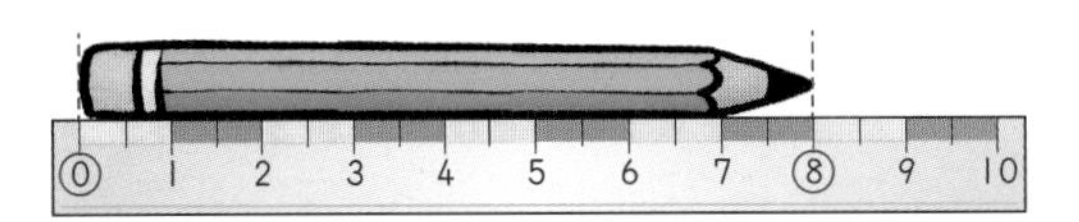

① 연필의 한쪽 끝을 자의 눈금 0에 맞춥니다.

② 연필의 다른 쪽 끝에 있는 자의 눈금을 읽습니다.

➡ 연필의 길이는 8 cm입니다.

자로 길이 재기(2)

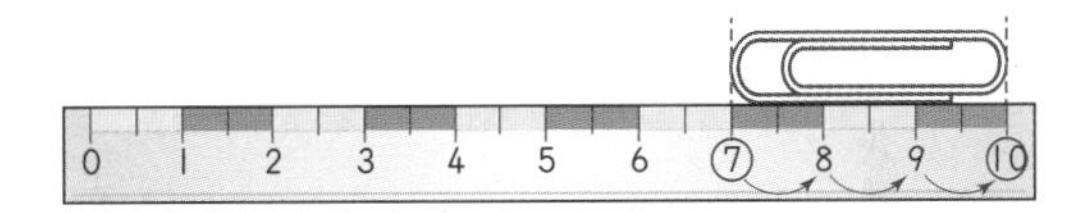

① 클립의 한쪽 끝을 자의 한 눈금에 맞춥니다.

② 그 눈금에서 다른 쪽 끝까지 I cm가 몇 번 들어가는지 셉니다.

➡ 클립의 길이는 3 cm입니다.

자로 길이 재기(3)

길이가 자의 눈금 사이에 있을 때는 눈금과 가까운 쪽에 있는 숫자를 읽으며, 숫자 앞에 약을 붙여 말합니다.

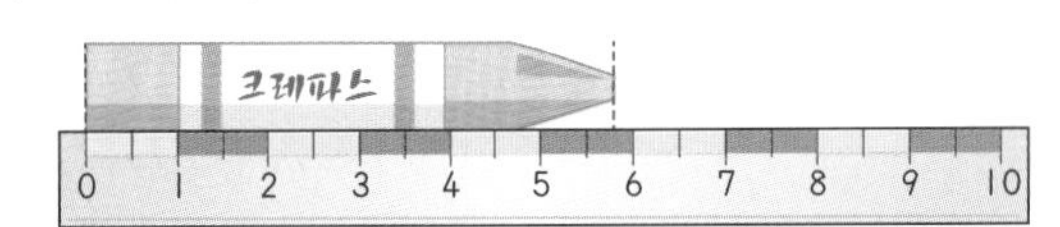

➡ 6 cm에 가까우므로 약 6 cm입니다.

문제 해결

1 2 cm 길이로 점을 연결하여 고양이가 있는 곳에서 집까지 선으로 이어 보세요.

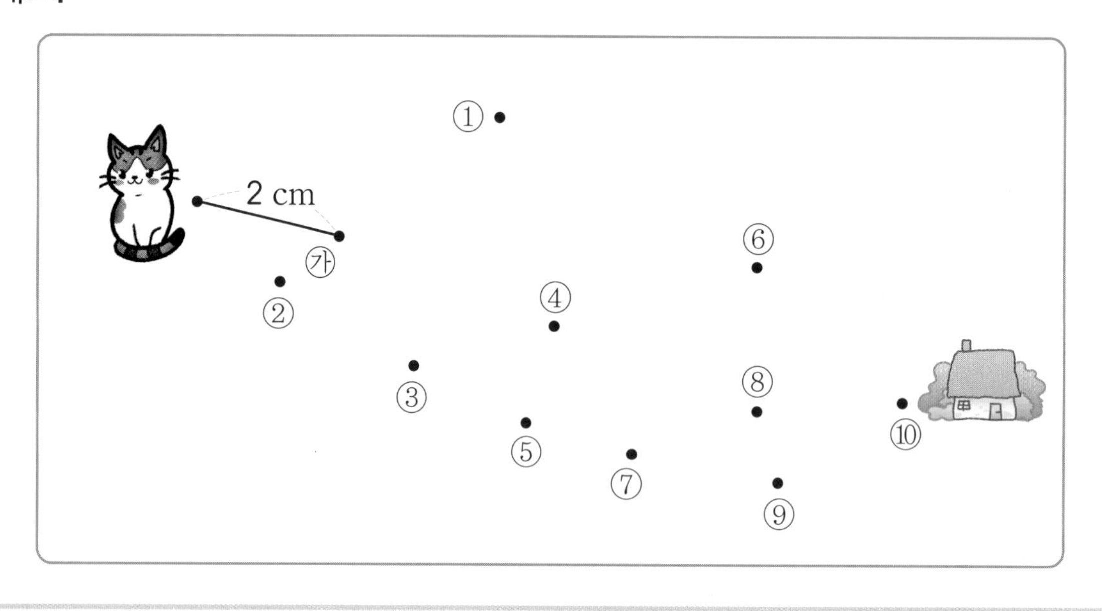

❶ ㉮부터 시작하여 2 cm가 되는 점을 찾아 차례로 번호를 써 보세요.

㉮ → (　　　　) → (　　　　)

→ (　　　　) → (　　　　)

→ ⑩

❷ 고양이가 있는 곳에서 집까지 2 cm가 되는 점을 차례로 선으로 이어 보세요.

[2~3] 주어진 길이로 점을 연결하여 각 동물이 있는 곳에서 먹이가 있는 곳까지 선으로 이어 보세요.

2

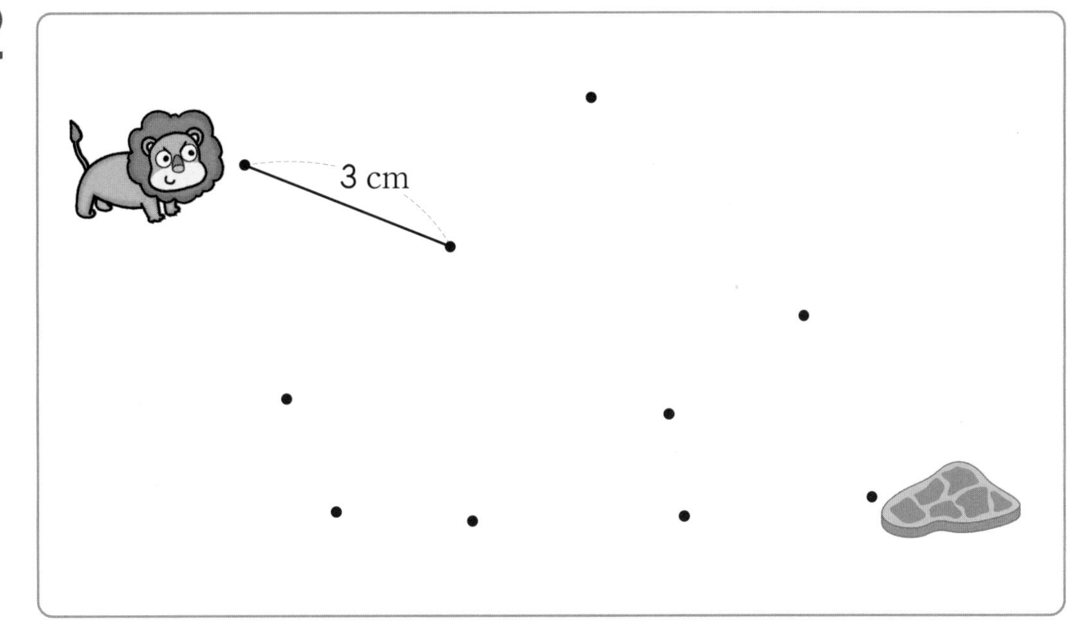

3

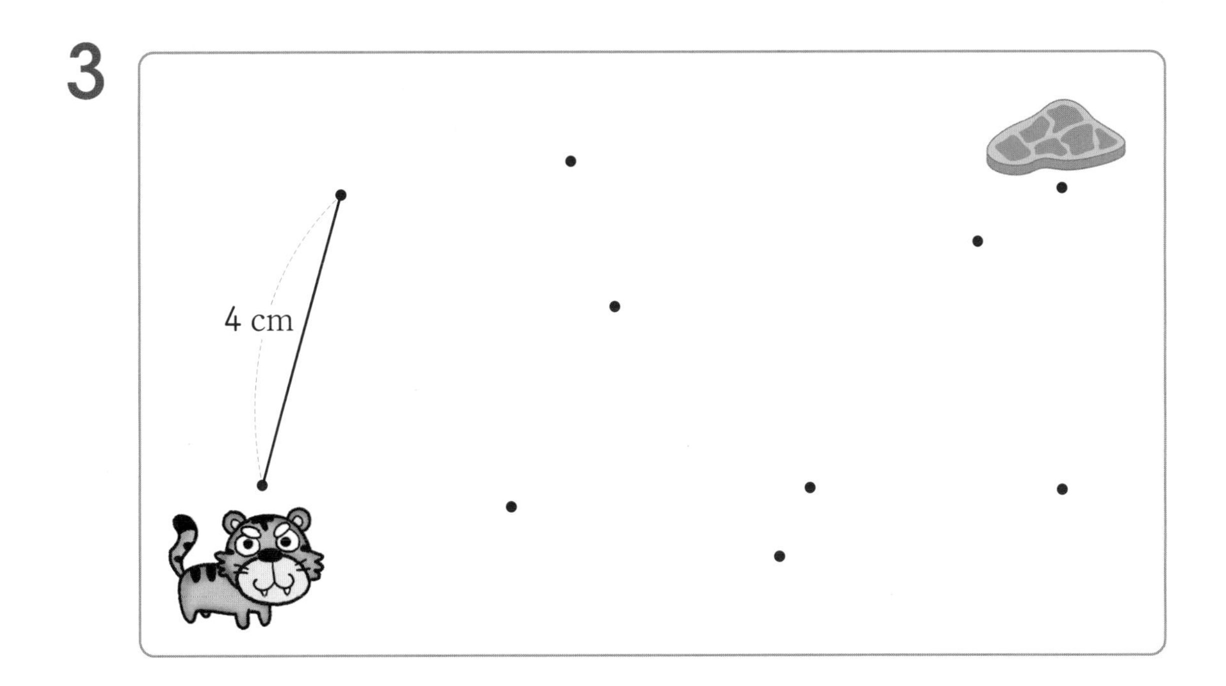

유형 ② 1 cm를 이용하여 길이 구하기

문제 해결

1 그림에서 가장 작은 사각형의 네 변의 길이는 모두 같고, 한 변의 길이는 1 cm입니다. 빨간색 선의 길이와 네 변의 길이의 합이 같은 사각형의 기호를 써 보세요.

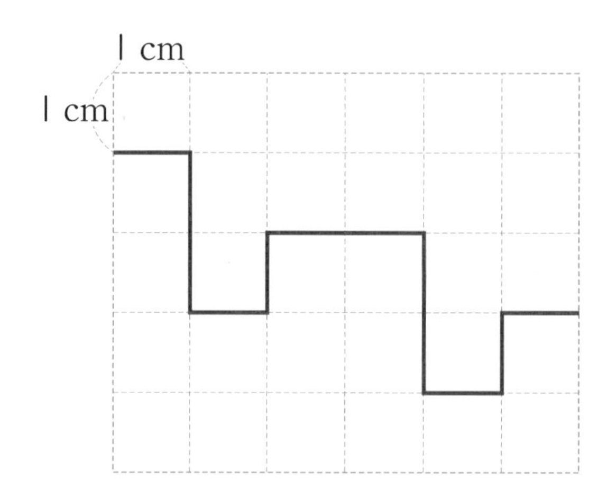

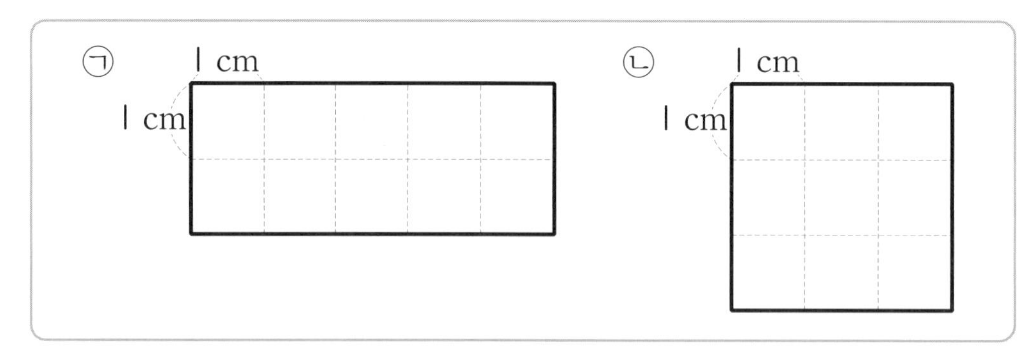

❶ 빨간색 선의 길이는 1 cm가 몇 번일까요?

( )

❷ 빨간색 선의 길이는 몇 cm일까요?

( )

❸ 빨간색 선의 길이와 네 변의 길이의 합이 같은 사각형의 기호를 써 보세요.

( )

2 그림에서 가장 작은 사각형의 네 변의 길이는 모두 같고, 한 변의 길이는 1 cm 입니다. 굵은 선의 길이는 몇 cm일까요?

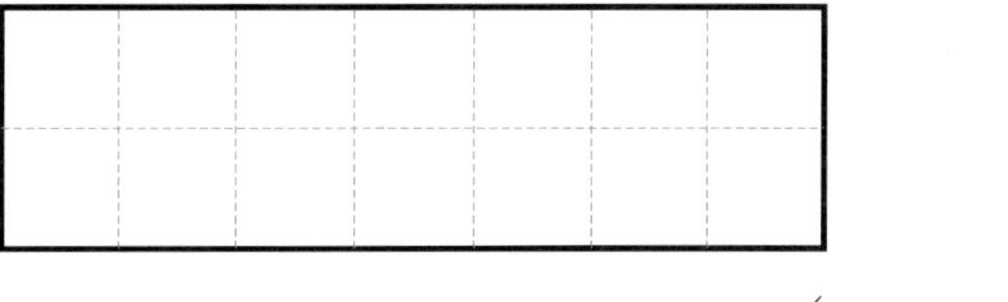

( )

3 그림에서 가장 작은 사각형의 네 변의 길이는 모두 같고, 한 변의 길이는 1 cm 입니다. 작은 사각형의 변을 따라 갈 때 ㉮에서 ㉯까지 가는 가장 가까운 길은 몇 cm일까요?

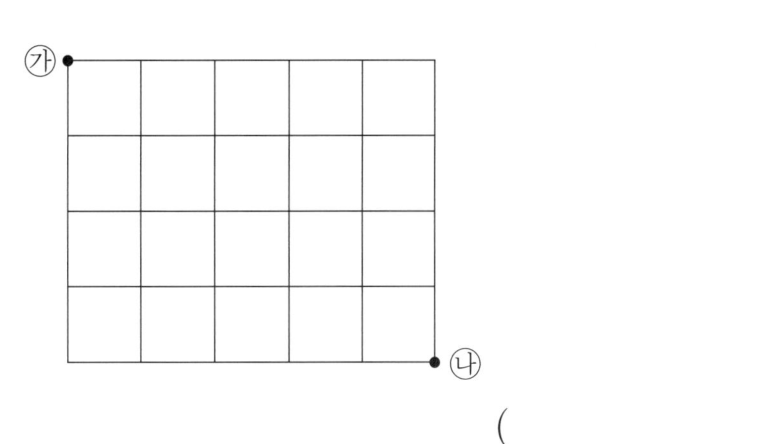

( )

유형 ③ 단위길이를 이용하여 길이 구하기

문제 해결

1 다음과 같이 규칙에 따라 선을 그었습니다. 다섯째 번에 그어야 할 선의 길이는 몇 cm인지 구해 보세요.

첫째 번 (6 cm)
둘째 번
셋째 번
⋮

❶ 넷째 번 선을 그어 보세요.

❷ 다섯째 번 선을 그어 보세요.

❸ 다섯째 번에 그어야 할 선의 길이는 몇 cm일까요?

( )

정답과 풀이 15쪽

2 막대 ㉮의 길이가 7 cm라면 막대 ㉯의 길이는 몇 cm일까요?

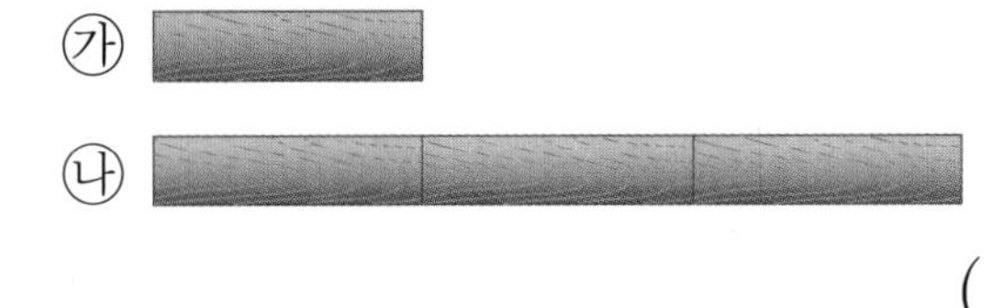

(　　　　　　　　)

3 ㉮의 길이가 10 cm라면 ㉯의 길이는 몇 cm일까요?

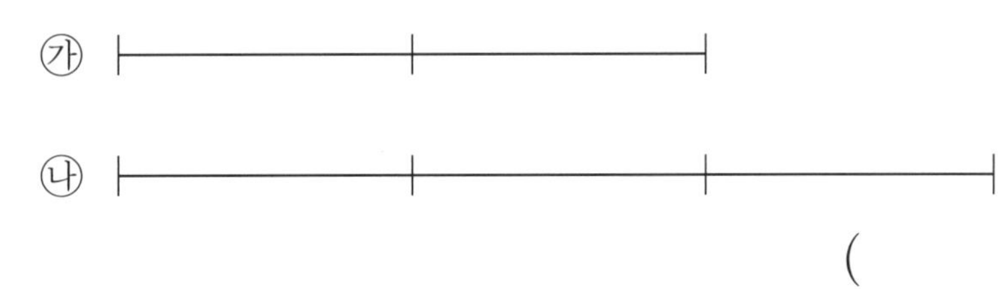

(　　　　　　　　)

4 색 테이프 ㉮의 길이가 9 cm라면 색 테이프 ㉯의 길이는 몇 cm일까요?

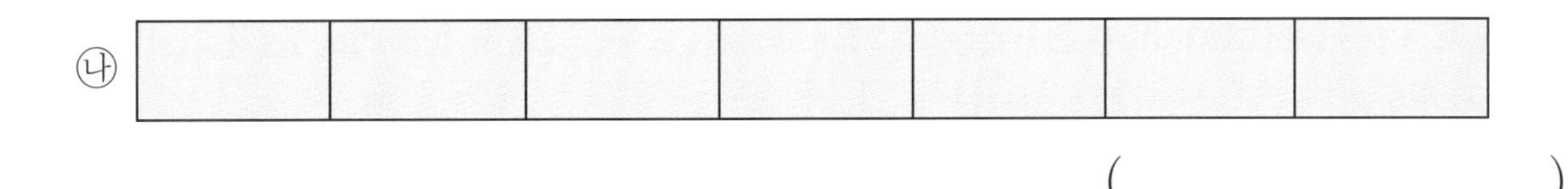

(　　　　　　　　)

유형 4 단위길이로 잰 길이 구하기

추론

1 동혁이의 한 뼘의 길이는 11 cm입니다. 한 뼘의 길이를 이용하여 책상과 의자의 높이를 재었을 때 두 높이의 차는 몇 cm인지 구해 보세요.

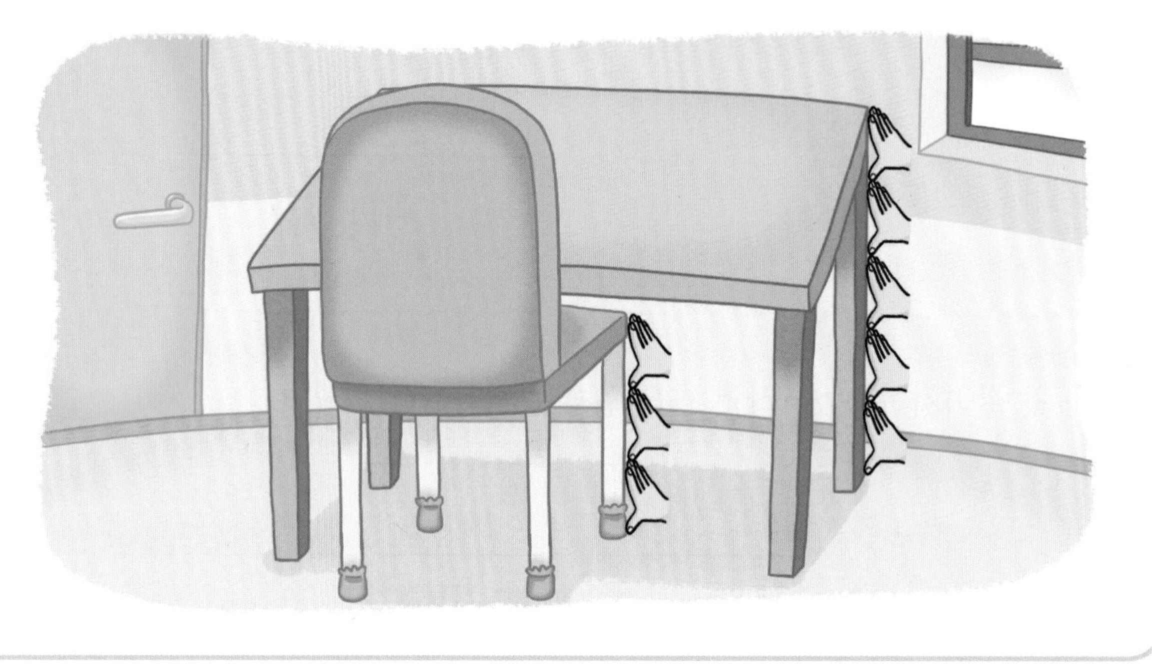

❶ 책상의 높이는 몇 cm인지 구해 보세요.

(   )

❷ 의자의 높이는 몇 cm인지 구해 보세요.

(   )

❸ 책상과 의자의 높이의 차는 몇 cm인지 구해 보세요.

(   )

2 색연필을 이용하여 칠판의 짧은 쪽의 길이를 재어 보니 색연필로 7번이었습니다. 색연필의 길이가 8 cm일 때 칠판의 짧은 쪽의 길이는 몇 cm일까요?

( )

3 막대를 이용하여 창문의 긴 쪽과 짧은 쪽의 길이를 재었습니다. 창문의 긴 쪽의 길이는 막대로 5번, 창문의 짧은 쪽의 길이는 막대로 3번이었습니다. 막대의 길이가 15 cm일 때 창문의 긴 쪽과 짧은 쪽의 길이의 차는 몇 cm일까요?

( )

4 영주와 가은이가 뼘을 이용하여 각자의 책상의 긴 쪽의 길이를 재었더니 다음과 같았습니다. 책상의 긴 쪽의 길이가 더 긴 사람은 누구일까요?

이름	영주	가은
횟수	3뼘	4뼘
한 뼘의 길이	14 cm	12 cm

( )

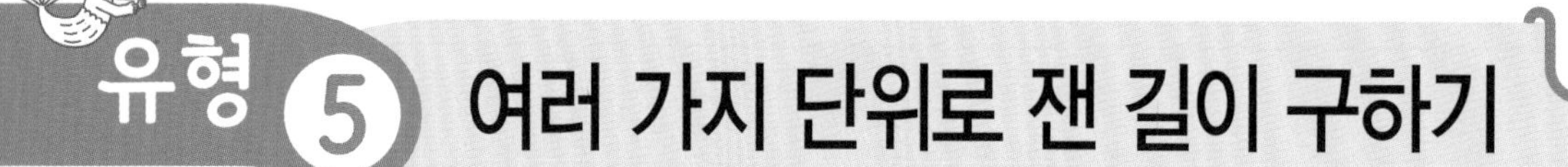

유형 5 여러 가지 단위로 잰 길이 구하기

창의 • 융합

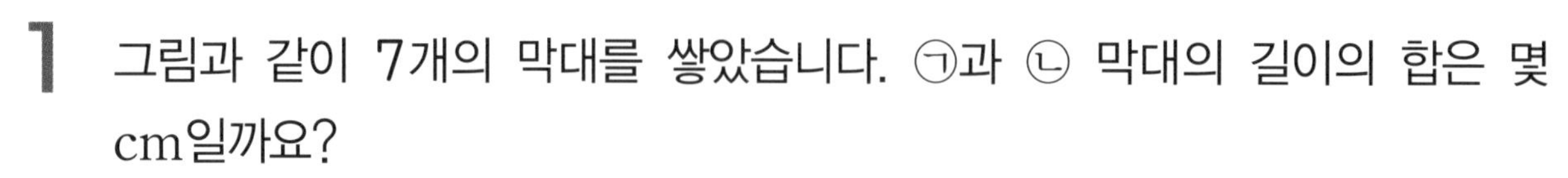

1 그림과 같이 7개의 막대를 쌓았습니다. ㉠과 ㉡ 막대의 길이의 합은 몇 cm일까요?

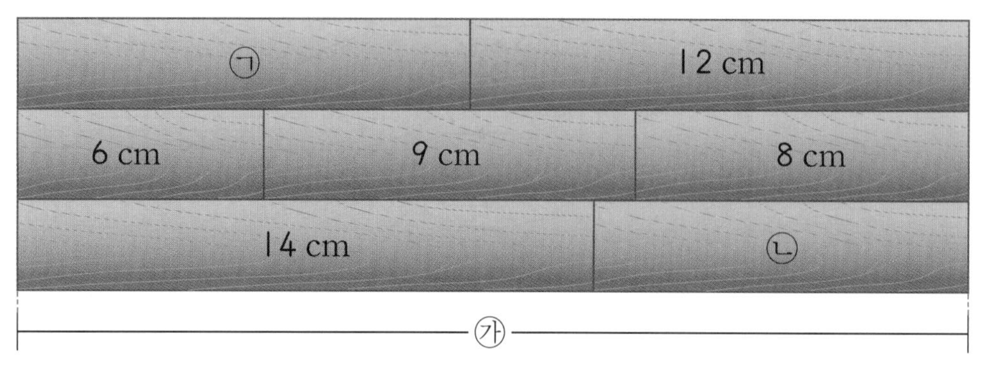

❶ ㉮의 길이는 몇 cm일까요?

( )

❷ ㉠과 ㉡ 막대의 길이는 각각 몇 cm일까요?

㉠ 막대 ( )

㉡ 막대 ( )

❸ ㉠과 ㉡ 막대의 길이의 합은 몇 cm일까요?

( )

2 세형이와 다영이가 각각 가지고 있는 색 테이프로 막대의 길이를 재었습니다. 세형이와 다영이가 잰 막대의 길이의 합은 몇 cm일까요?

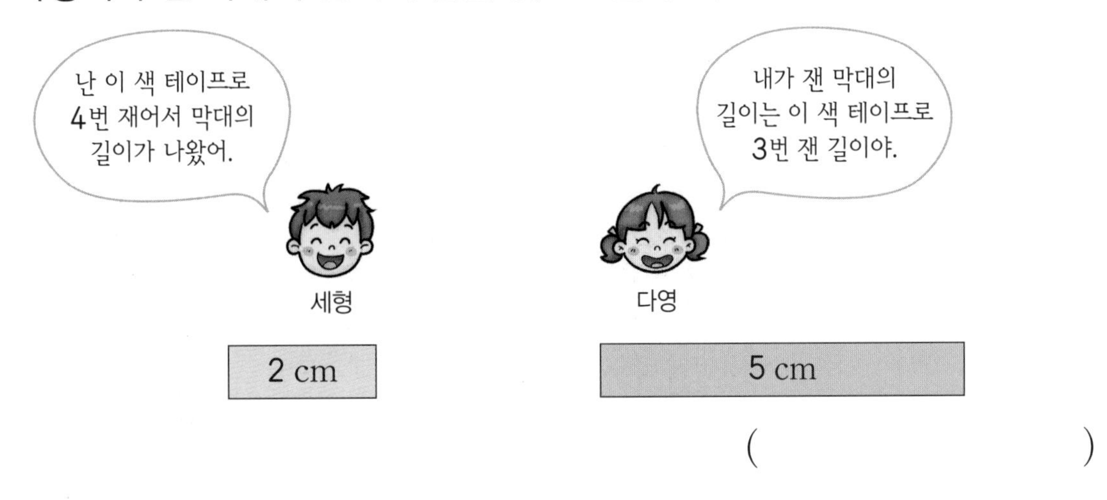

난 이 색 테이프로 4번 재어서 막대의 길이가 나왔어.
내가 잰 막대의 길이는 이 색 테이프로 3번 잰 길이야.
세형
다영
2 cm
5 cm

(　　　　　　　　)

3 재민이는 밧줄의 길이를 여러 가지 단위로 재어 보고 있습니다. 밧줄의 길이는 몇 cm일까요?

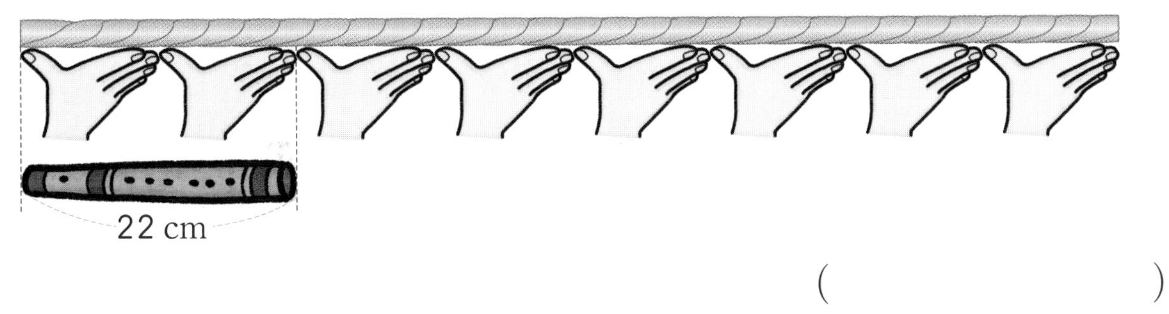

(　　　　　　　　)

유형 6 물건의 길이 구하기

문제 해결

1 길이가 각각 17 cm, 19 cm인 두 색 테이프를 그림과 같이 겹치게 이었습니다. 클립의 길이는 몇 cm인지 구해 보세요.

❶ □ 안에 알맞은 말을 써넣으세요.

두 색 테이프가 겹치는 부분의 길이는 □의 길이와 같습니다.

❷ 두 색 테이프의 길이의 합은 몇 cm일까요?

(　　　　　　)

❸ 두 색 테이프를 겹치게 이은 전체의 길이는 몇 cm일까요?

(　　　　　　)

❹ 클립의 길이는 몇 cm일까요?

(　　　　　　)

2 그림과 같이 길이가 다른 세 가지 색 테이프가 있습니다. 세 가지 색 테이프를 겹치지 않게 이어 붙이면 모두 몇 cm가 될까요?

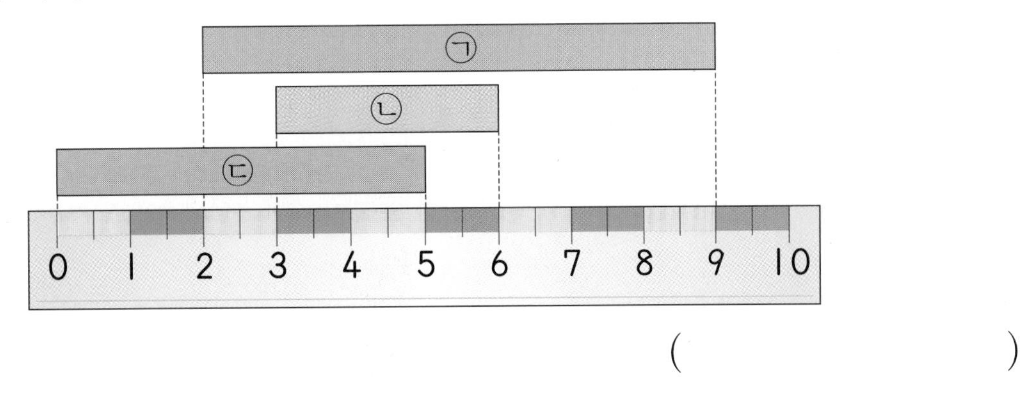

( )

4 단원

3 길이가 48 cm인 막대를 그림과 같이 세 도막으로 잘랐습니다. 가장 긴 막대의 길이는 몇 cm일까요?

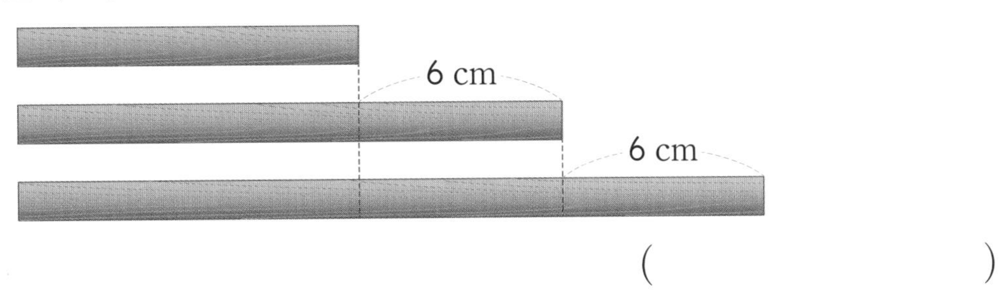

( )

사고력 종합 평가

1 그림과 같이 6개의 막대를 쌓았습니다. ㉠과 ㉡ 막대의 길이의 합은 몇 cm일까요?

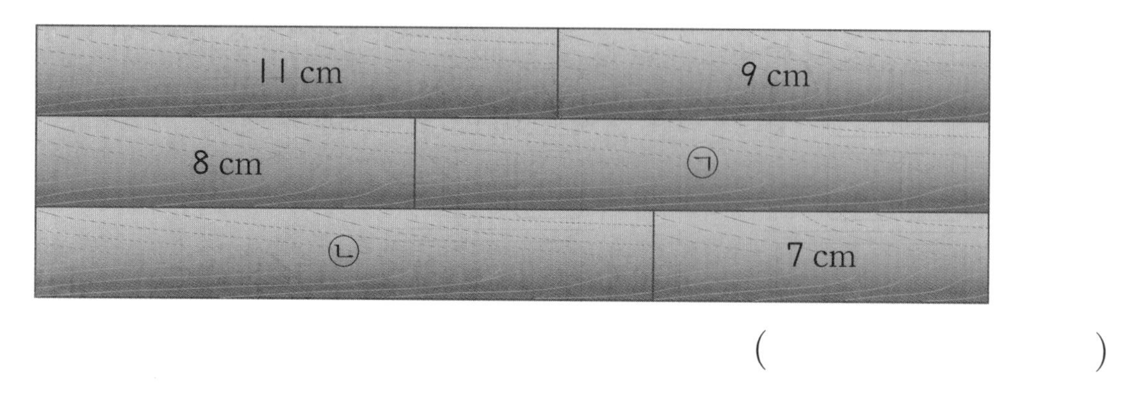

(　　　　　　　　)

2 종이테이프의 길이를 연필, 못을 이용하여 각각 잰 것입니다. 연필 한 자루의 길이가 8 cm일 때 못 한 개의 길이는 몇 cm일까요?

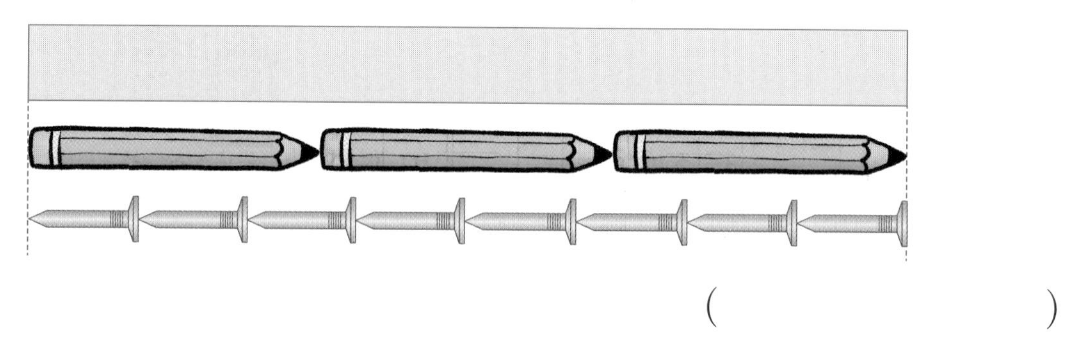

(　　　　　　　　)

3 그림에서 가장 작은 사각형의 네 변의 길이는 모두 같고, 한 변의 길이는 2 cm입니다. 작은 사각형의 변을 따라 갈 때 ㉮에서 ㉯까지 가는 가장 가까운 길은 몇 cm일까요?

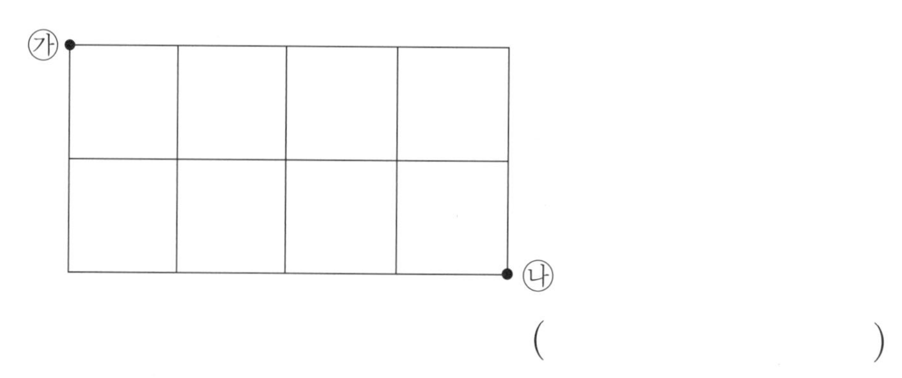

(　　　　　　　　)

4 그림에서 가장 작은 사각형의 네 변의 길이는 모두 같고, 한 변의 길이는 1 cm입니다. 굵은 선의 길이는 몇 cm일까요?

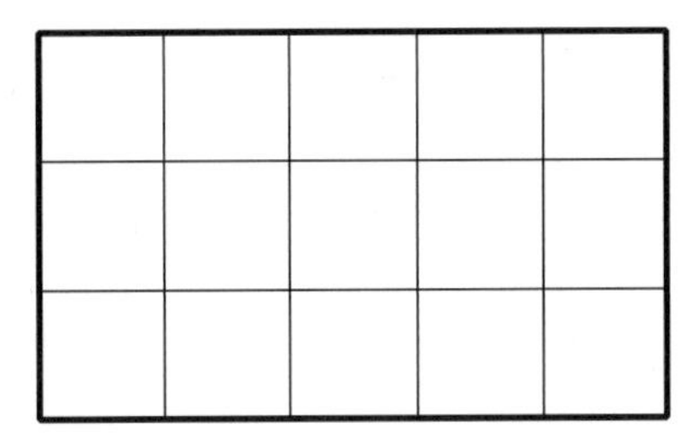

( )

5 그림에서 가장 작은 삼각형의 세 변의 길이는 모두 같고, 한 변의 길이는 5 cm입니다. 빨간 선의 길이는 몇 cm일까요?

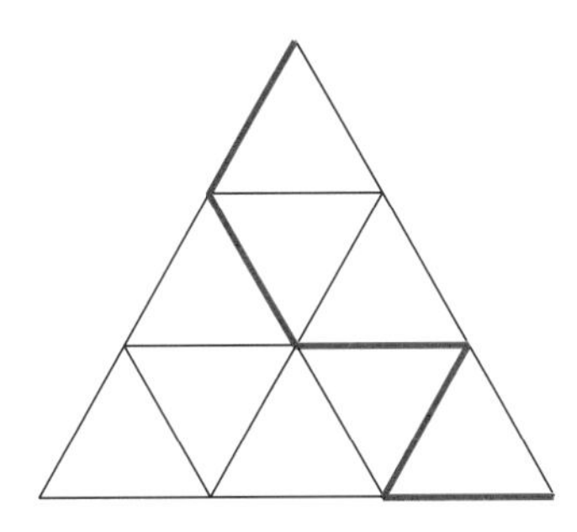

( )

6 규칙에 따라 지우개를 놓았습니다. 일곱째 번에 놓아야 할 지우개 전체의 길이는 몇 cm일까요?

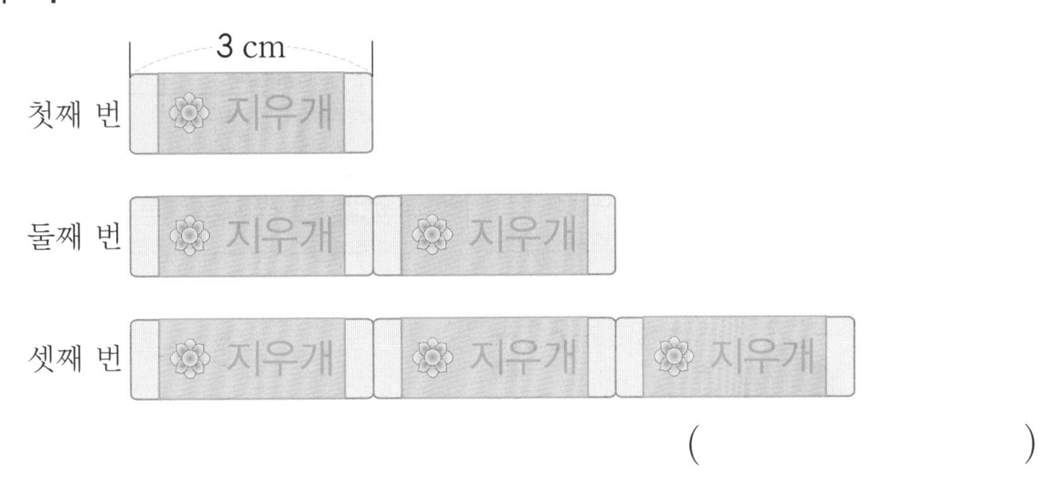

( )

4 단원

7 수첩의 긴 쪽의 길이는 짧은 쪽의 길이보다 몇 cm 더 길까요?

(　　　　　　　　　　)

8 그림은 네 변의 길이가 모두 1 cm인 사각형 3개를 이어 만든 도형입니다. ㉮에서 출발하여 선을 따라 4 cm를 움직여 ㉯에 도착하는 방법은 모두 몇 가지일까요?

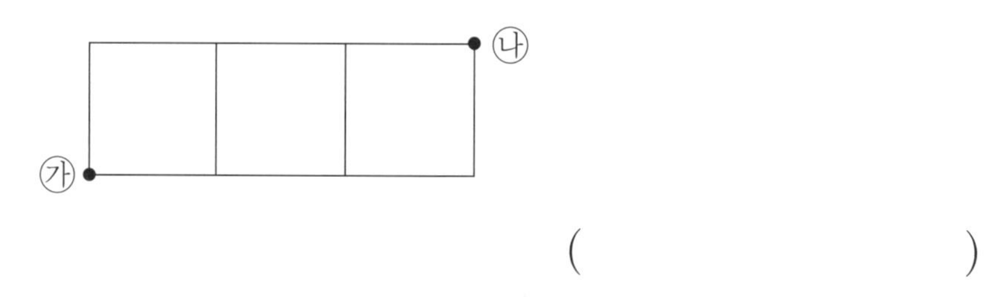

(　　　　　　　　　　)

9 벌과 4 cm 거리에 있는 꽃은 모두 몇 송이일까요?

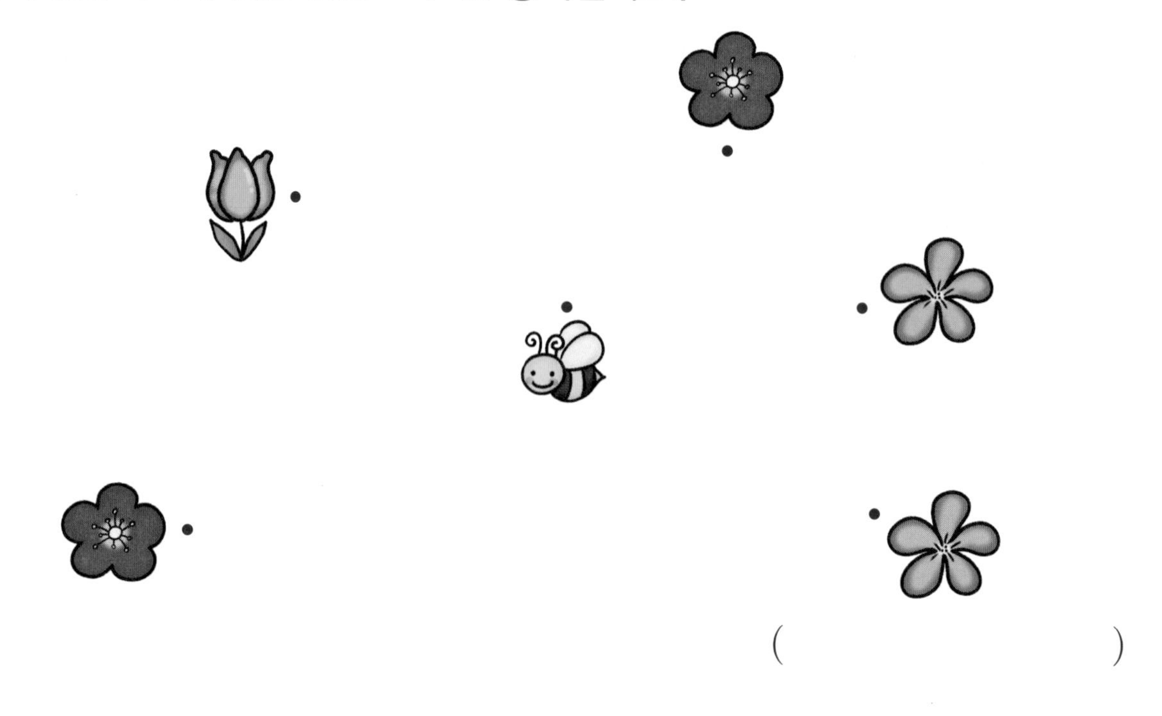

(　　　　　　　　　　)

10 길이가 짧은 것부터 차례로 기호를 써 보세요.

- ㉠은 9 cm입니다.
- ㉡은 2 cm로 4번 잰 길이와 같습니다.
- ㉢은 1 cm로 7번 잰 길이와 같습니다.

( )

11 지우개의 길이보다 더 긴 색 테이프를 찾아 기호를 써 보세요.

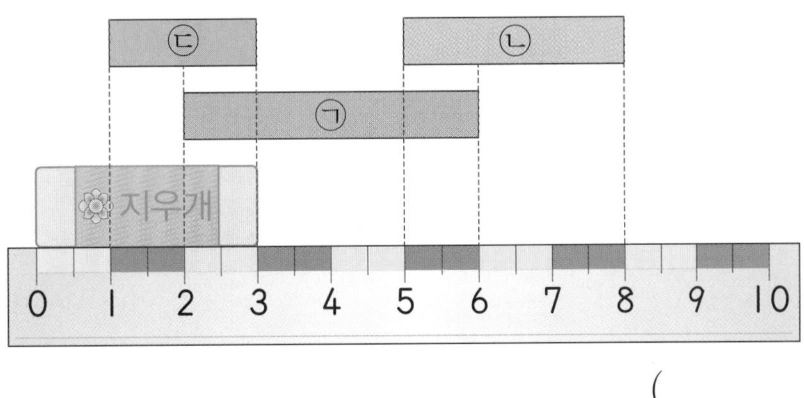

( )

12 현지의 한 뼘의 길이는 15 cm이고, 수화의 한 뼘의 길이는 12 cm입니다. 현지가 책상의 높이를 재었더니 4뼘이었습니다. 수화의 뼘으로 책상의 높이를 재면 몇 뼘일까요?

( )

13 책상의 긴 쪽의 길이는 양초로 4번이고 양초의 길이는 연필로 2번입니다. 연필의 길이가 10 cm일 때 책상의 긴 쪽의 길이는 몇 cm일까요?

( )

14 길이가 1 cm, 3 cm, 5 cm인 막대가 한 개씩 있습니다. 이 막대를 한 번씩 이용하여 잴 수 있는 길이는 모두 몇 가지일까요?

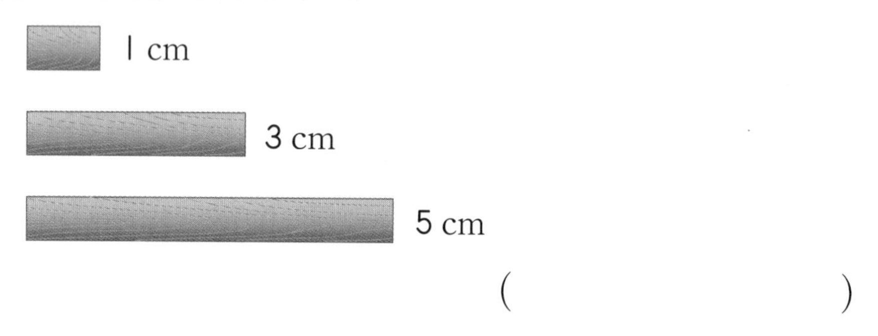

( )

15 끈 ㉮를 ㉯와 ㉰ 두 도막으로 나누었습니다. 창문의 긴 쪽의 길이를 끈 ㉮로 재면 2번이고, ㉯로 재면 3번입니다. 창문의 긴 쪽의 길이를 끈 ㉰로 재면 몇 번일까요?

( )

분류하기

분류하는 방법

- 분류: 기준에 따라 나누는 것
- 과일을 색깔에 따라 분류하기

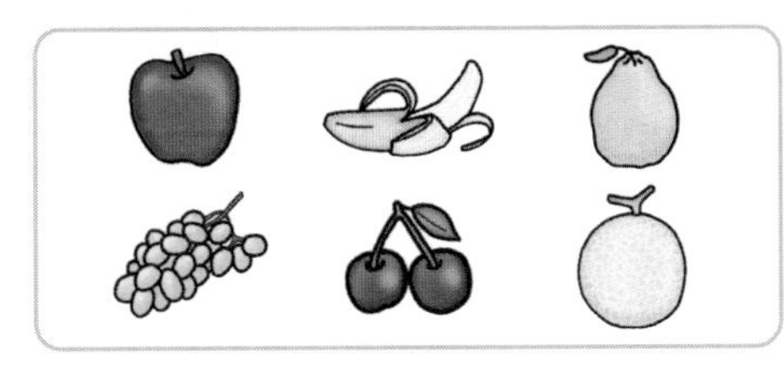

빨간색 과일	노란색 과일	초록색 과일

기준에 따라 분류하기

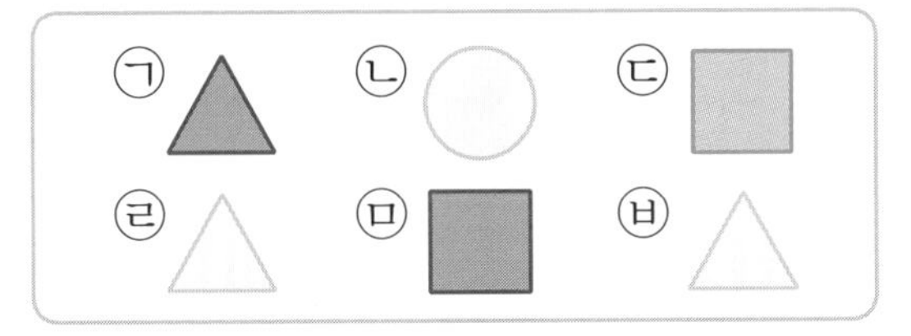

분류 기준: 꼭짓점의 수

꼭짓점의 수	없음	3개	4개
기호	㉡	㉠, ㉣, ㉥	㉢, ㉤

분류 기준: 색깔

색깔	빨간색	노란색	파란색
기호	㉠, ㉤	㉡, ㉣, ㉥	㉢

분류하여 세어 보고 분류한 결과 말하기

상혁이네 반 학생들이 좋아하는 과일을 조사하였습니다.

사과	바나나	자두	멜론
바나나	사과	사과	바나나
바나나	자두	바나나	사과

분류 기준: 종류

종류	사과	바나나	자두	멜론
세면서 표시하기	////	/////	//	/
학생 수(명)	4	5	2	1

➜ 상혁이네 반 학생들이 좋아하는 과일을 종류에 따라 분류한 결과

① 가장 많은 학생들이 좋아하는 과일은 바나나입니다.

② 가장 적은 학생들이 좋아하는 과일은 멜론입니다.

유형 1 기준에 따라 분류하기

문제 해결

1 풀이나 나뭇잎을 먹는 동물을 초식 동물이라고 하고 동물의 고기를 먹는 동물을 육식 동물이라고 합니다. 다음 여러 동물을 분명한 기준을 정하여 분류해 보세요.

❶ □ 안에 알맞은 말을 써넣으세요.

동물을 먹이에 따라 □ 동물과 □ 동물로 분류할 수 있습니다.

준비물 붙임딱지

❷ ❶에서 정한 기준에 따라 동물 붙임딱지를 붙여 분류해 보세요.

2 분류할 수 있는 기준이 되는 것을 모두 찾아 ○표 하세요.

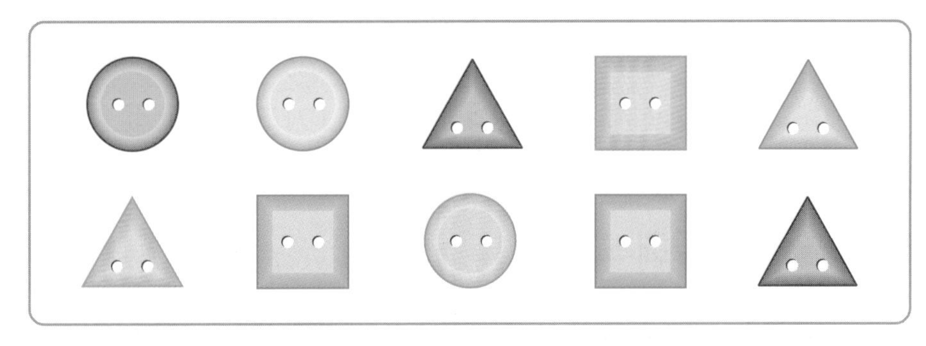

(모양 , 구멍의 수 , 색깔 , 크기)

준비물 붙임딱지

3 이동 수단을 분류 기준에 따라 분류한 것입니다. 빈 곳에 알맞게 써넣고 붙임딱지를 붙여 분류해 보세요.

분류 기준:

유형 ② 분류 기준 알아보기

창의 • 융합

준비물 붙임딱지

1 준수네 가족은 자동차를 타고 여행을 떠나기로 했습니다. 2대의 자동차에 각각 3명씩 탈 수 있도록 서로 다른 분류 기준을 쓰고 그 기준대로 가족 붙임딱지를 붙여 분류해 보세요.

할아버지

할머니

아빠

엄마

준수

여동생

❶ 분류 기준:

❷ 분류 기준:

정답과 풀이 19쪽

준비물 붙임딱지

2 동물원에 있는 동물들 중 일부가 새로운 장소로 이동을 하려고 합니다. 2개의 우리에 각각 나누어 이동할 수 있도록 서로 다른 분류 기준을 쓰고 그 기준대로 동물 붙임딱지를 붙여 분류해 보세요.

(1) 분류 기준:

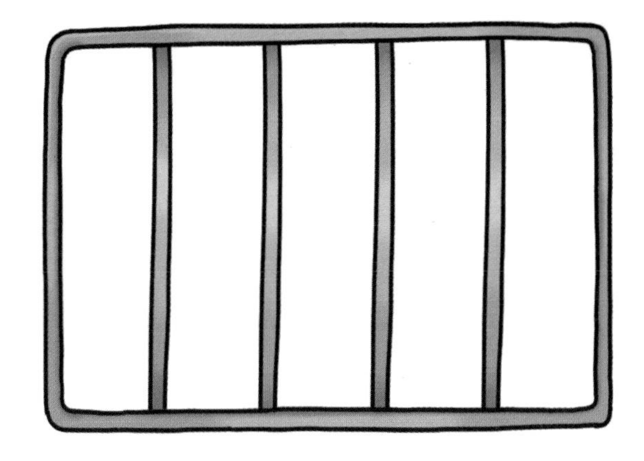

(2) 분류 기준:

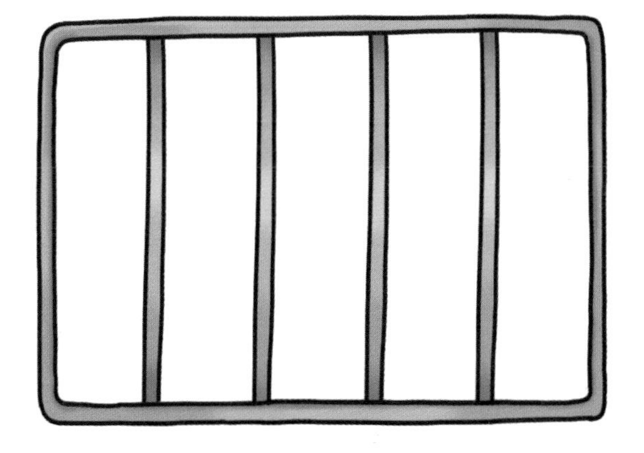
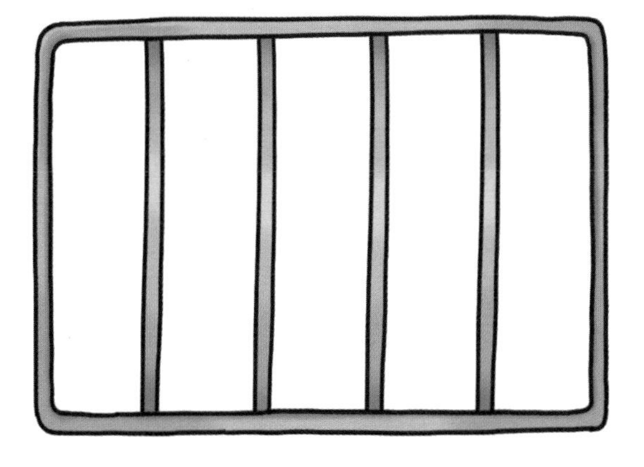

5 단원

유형 3 분류하여 세어 보고 분류 결과 말하기

문제 해결

1 놀이동산에서 이벤트로 아이들에게 풍선을 나누어 주고 있습니다. 아이들은 좋아하는 색깔의 풍선을 받았습니다. 물음에 답하세요.

❶ 풍선의 색깔에 따라 분류하여 그 수를 세어 보세요.

색깔	노란색	빨간색	초록색	파란색
학생 수(명)				

❷ 가장 인기가 많은 풍선은 무슨 색일까요?

(　　　　　　　　　　)

2 예지네 반 학생들이 좋아하는 음료수를 조사하였습니다. 음료수에 따라 분류하고 물음에 답하세요.

영진	현지	슬기	예지	기연	가은	상혁
동현	민지	준희	민재	정우	지현	신헌
시은	혁진	원희	채민	동진	나경	연경

(1) 예지네 반 학생들이 좋아하는 음료수의 종류는 모두 몇 가지일까요?

(　　　　　　　)

(2) 음료수의 종류에 따라 분류하여 학생 수를 세어 보세요.

종류	콜라	사이다	우유	주스
학생 수(명)				

(3) 이 반에서 가장 인기가 적은 음료수는 무엇일까요?

(　　　　　　　)

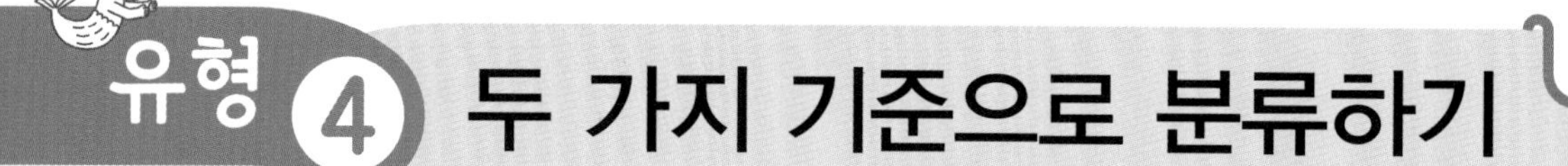

유형 4 두 가지 기준으로 분류하기

문제 해결

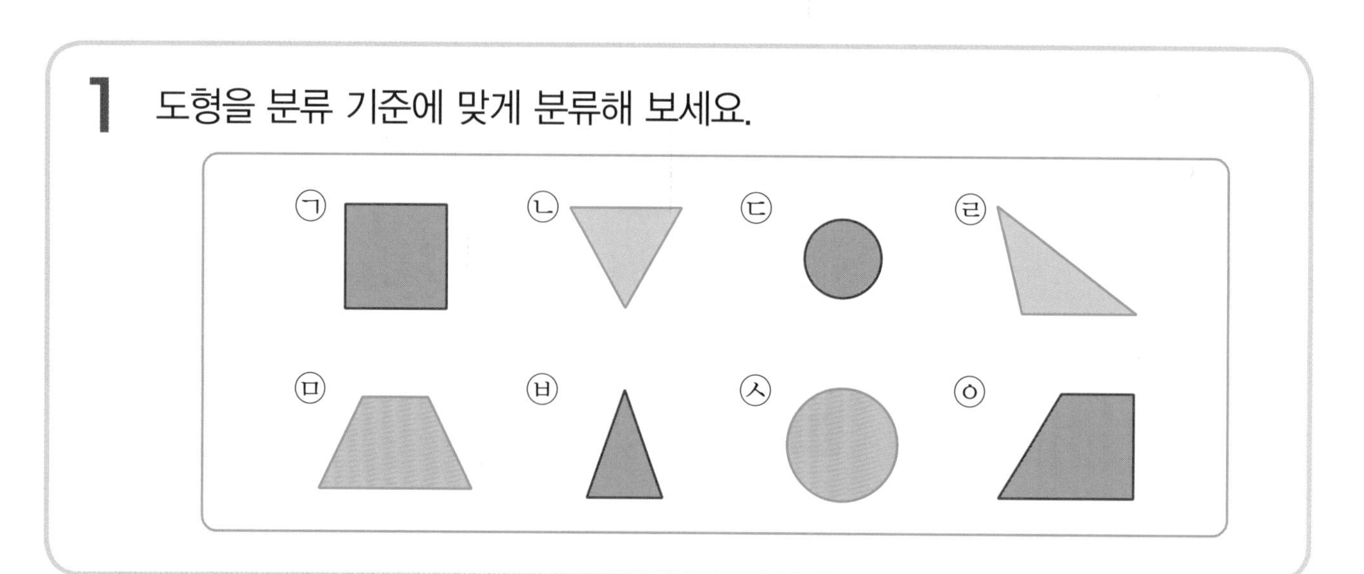

1 도형을 분류 기준에 맞게 분류해 보세요.

❶ 빨간색이면서 변의 수가 4개인 도형을 모두 찾아 기호를 써 보세요.

( )

❷ 파란색이면서 꼭짓점의 수가 3개인 도형을 모두 찾아 기호를 써 보세요.

( )

❸ 초록색이면서 꼭짓점의 수가 0개인 도형을 찾아 기호를 써 보세요.

( )

2 여러 가지 단추가 섞여 있습니다. 단추를 분류 기준에 맞게 분류해 보세요.

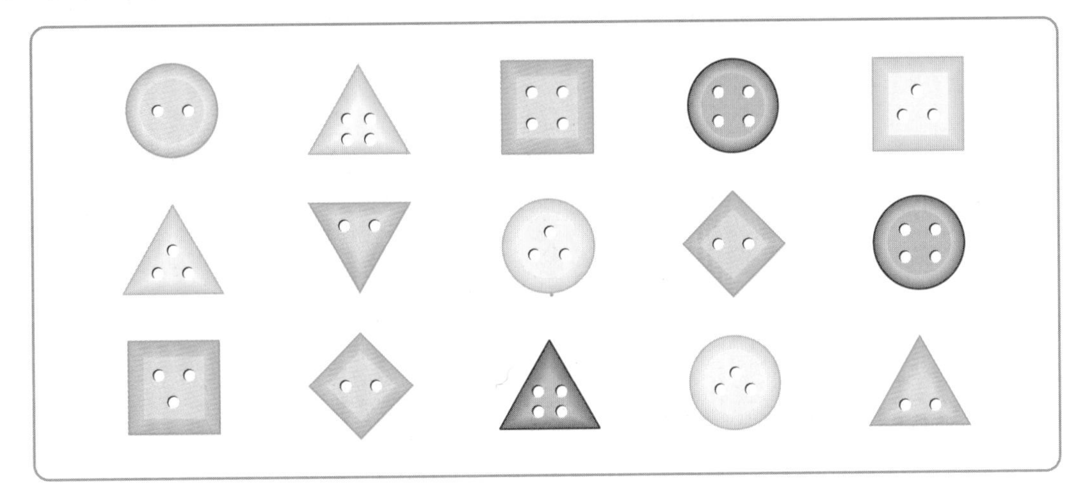

(1) 빨간색이면서 구멍 수가 4개인 단추는 몇 개일까요?

(   )

(2) □ 모양이면서 구멍 수가 3개인 단추는 몇 개일까요?

(   )

(3) 초록색이면서 구멍 수가 2개인 △ 모양의 단추는 몇 개일까요?

(   )

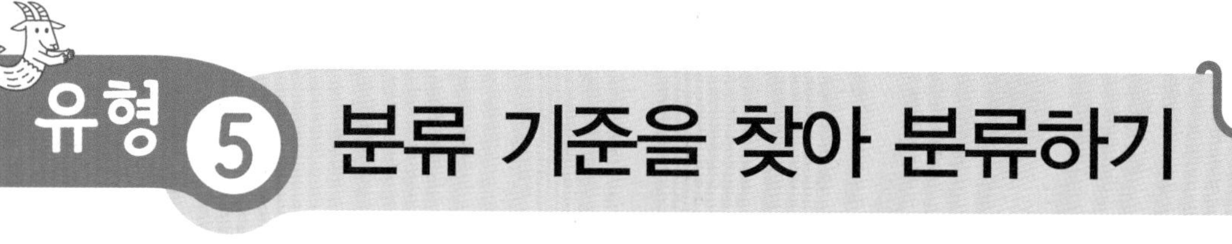

유형 5 분류 기준을 찾아 분류하기

창의 · 융합

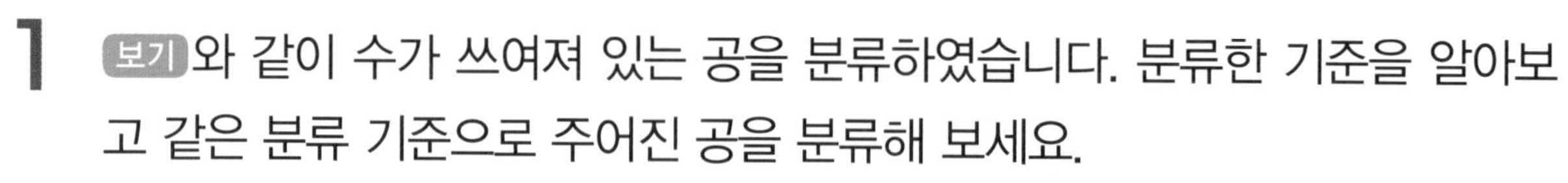

1 보기와 같이 수가 쓰여져 있는 공을 분류하였습니다. 분류한 기준을 알아보고 같은 분류 기준으로 주어진 공을 분류해 보세요.

보기

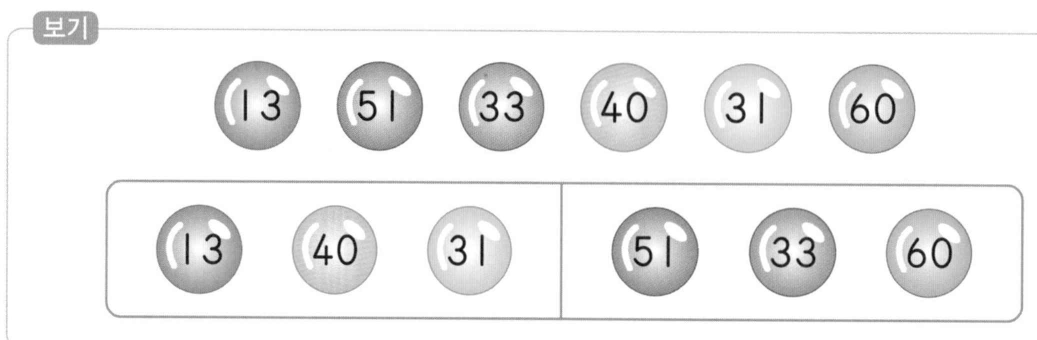

❶ □ 안에 알맞은 수를 써넣고 보기와 같이 공을 분류한 기준을 완성해 보세요.

13 → 1+3=□, 51 → 5+1=□, 33 → 3+3=□,

40 → 4+0=□, 31 → 3+1=□, 60 → 6+0=□

분류 기준 공에 쓰여진 수의 ______________________

이 같은 것끼리 분류하였습니다.

준비물 붙임딱지

❷ 보기와 같은 분류 기준에 따라 공 붙임딱지를 붙여 주어진 공을 분류해 보세요.

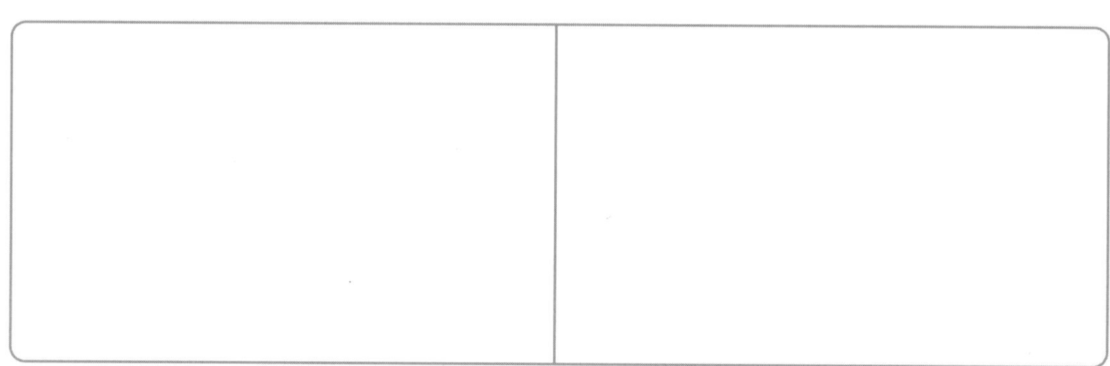

준비물 붙임딱지

2 마트에 있는 식품들입니다. 보기 와 같은 분류 기준에 따라 식품 붙임딱지를 붙여 주어진 식품을 분류해 보세요.

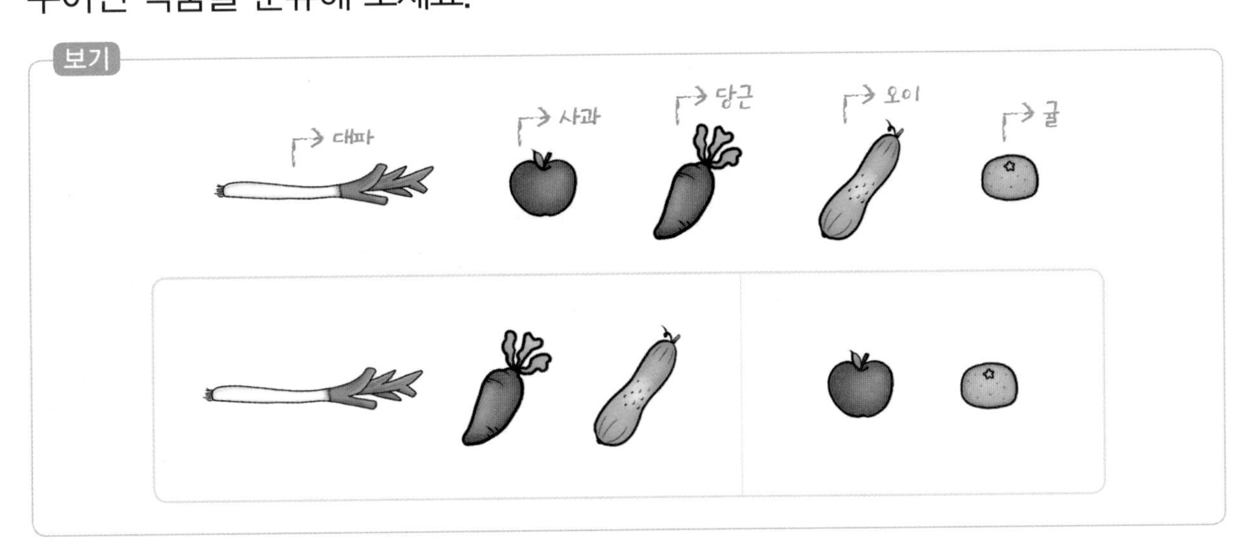

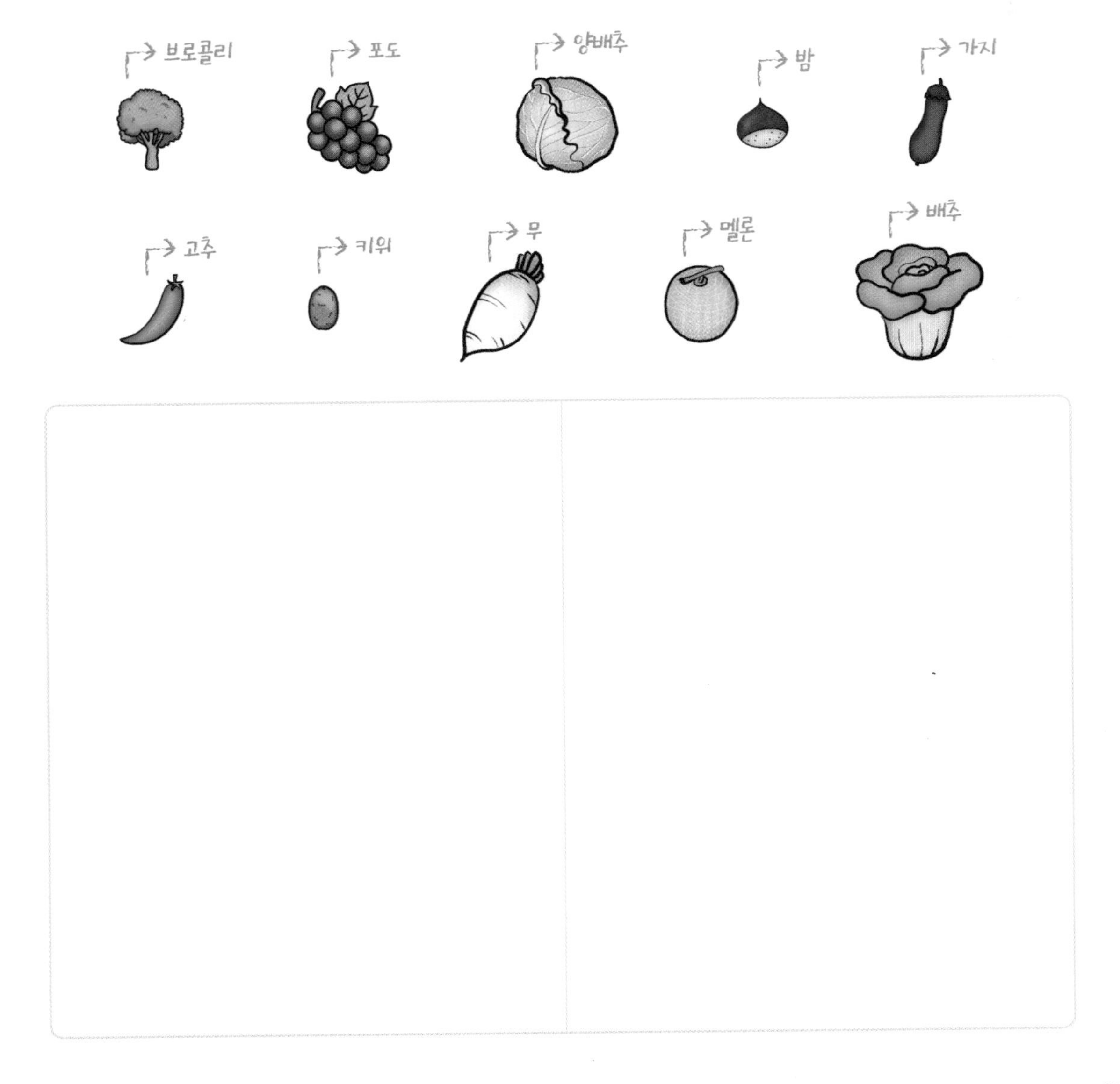

5 단원

유형 6 분류한 결과 말하기

추론

1 동현이네 반 학생 28명이 좋아하는 애완동물을 조사하였습니다. 분류하여 그 수를 다음과 같이 세었을 때 물음에 답하세요.

애완동물	강아지	토끼	고양이	금붕어
학생 수(명)	11	☐	8	2

❶ 토끼를 좋아하는 학생은 몇 명일까요?

( )

❷ 가장 많은 학생들이 좋아하는 애완동물과 가장 적은 학생들이 좋아하는 애완동물의 학생 수의 차는 몇 명일까요?

( )

❸ 다리의 수가 다른 애완동물을 좋아하는 학생은 몇 명일까요?

( )

2 문구점에서 하루 동안 팔린 색연필 40자루의 색깔을 조사하였습니다. 분류하여 그 수를 다음과 같이 세었을 때 물음에 답하세요.

색깔	빨간색	파란색	검정색	노란색
색연필의 수(자루)	9	10		14

(1) 팔린 검정색 색연필은 몇 자루일까요?

( )

(2) 가장 많이 팔린 색깔의 색연필과 가장 적게 팔린 색깔의 색연필의 수의 합은 몇 자루일까요?

( )

(3) 내가 만약 색연필을 파는 가게 주인이라면 내일 색연필을 더 많이 팔기 위해 준비해야 하는 색연필은 무슨 색일까요?

( )

5 단원

1 칠교판 조각을 모양에 따라 분류해 보세요.

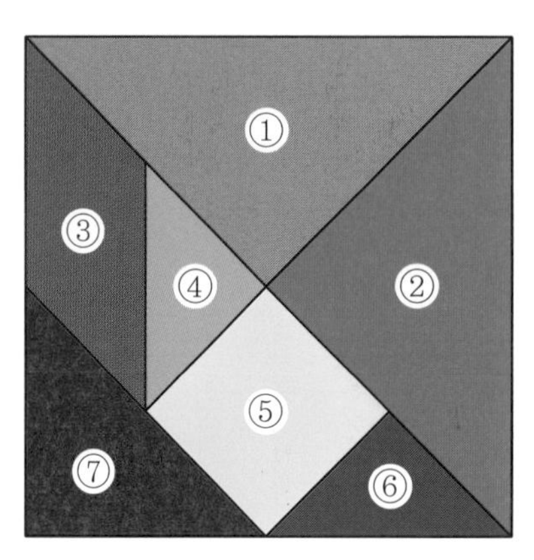

모양	삼각형	사각형
번호		

2 연우의 친구들이 가장 좋아하는 색깔을 조사하였습니다. 가장 좋아하는 색깔의 종류는 모두 몇 가지일까요?

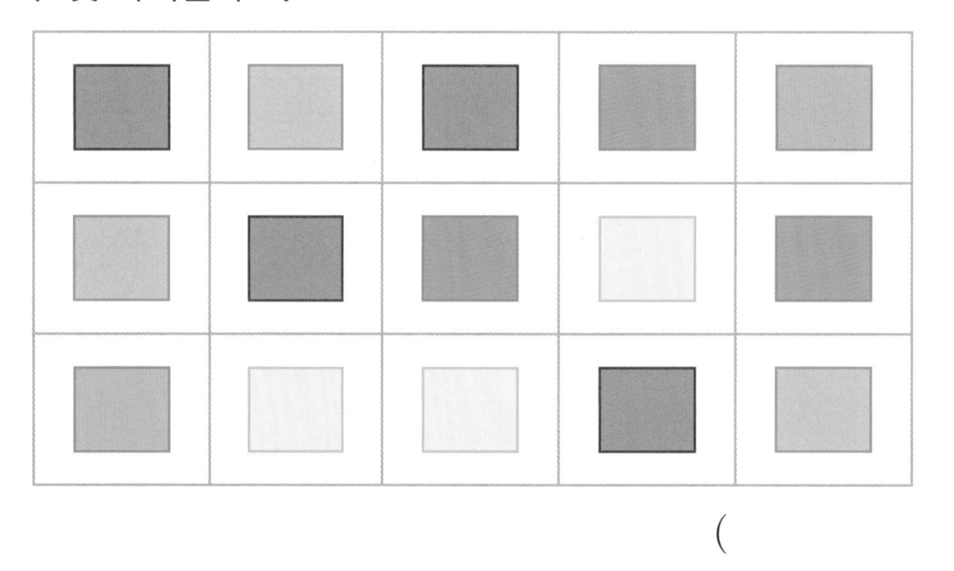

( )

[3~5] 슬기네 반 학생들이 좋아하는 아이스크림을 조사하였습니다. 물음에 답하세요.

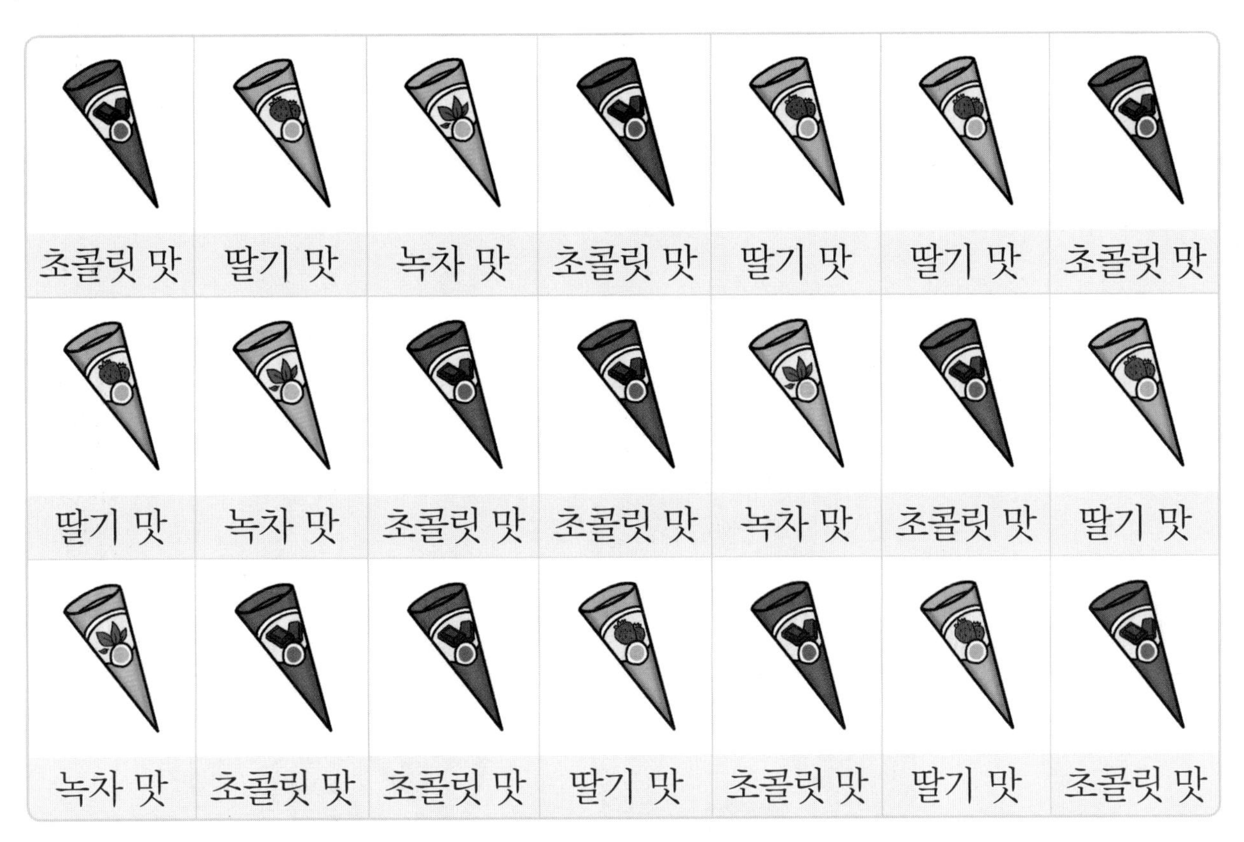

3 아이스크림의 맛에 따라 분류하여 그 수를 세어 보세요.

맛	초콜릿 맛	딸기 맛	녹차 맛
학생 수(명)			

4 어떤 맛 아이스크림이 가장 인기가 많을까요?

( )

5 어떤 맛 아이스크림이 가장 인기가 적을까요?

( )

6 가영이네 반 학생 20명이 좋아하는 운동을 조사하였습니다. 분류하여 그 수를 다음과 같이 세었을 때 피구를 좋아하는 학생은 몇 명일까요?

운동	축구	농구	피구	야구
학생 수(명)	6	2		5

( )

[7~8] 커피숍에 섞여 있는 컵을 기준에 따라 분류하려고 합니다. 물음에 답하세요.

7 손잡이가 1개 있고 파란색인 컵을 모두 찾아 번호를 써 보세요.

( )

8 손잡이가 없고 노란색인 컵을 모두 찾아 번호를 써 보세요.

( )

9 수가 쓰여져 있는 공이 있습니다. 보기 와 같이 주어진 공을 분류해 보세요.

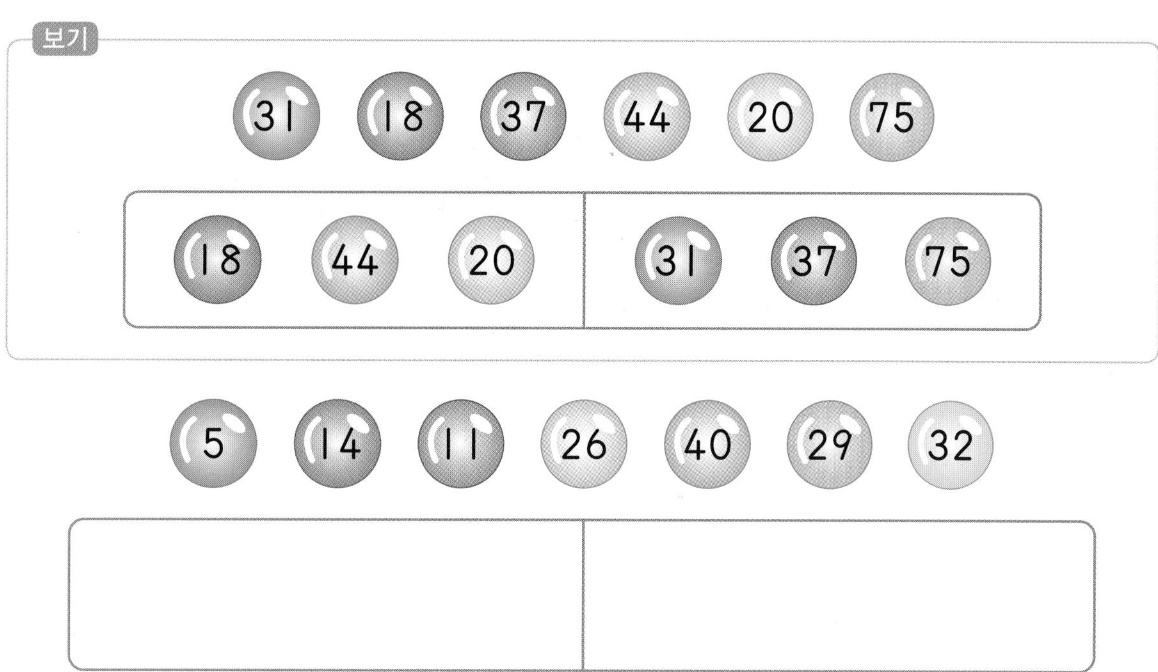

10 어느 달의 날씨를 조사하였습니다. 날씨에 따라 분류하여 그 수를 세어 보세요.

일	월	화	수	목	금	토
					1 [흐린 날]	2 [맑은 날]
3 [맑은 날]	4 [맑은 날]	5 [맑은 날]	6 [비 온 날]	7 [맑은 날]	8 [맑은 날]	9 [맑은 날]
10 [흐린 날]	11 [흐린 날]	12 [비 온 날]	13 [흐린 날]	14 [비 온 날]	15 [맑은 날]	16 [맑은 날]
17 [맑은 날]	18 [흐린 날]	19 [흐린 날]	20 [맑은 날]	21 [비 온 날]	22 [맑은 날]	23 [맑은 날]
24 [비 온 날]	25 [흐린 날]	26 [비 온 날]	27 [맑은 날]	28 [흐린 날]	29 [흐린 날]	30 [비 온 날]

[맑은 날] : 맑은 날 [흐린 날] : 흐린 날 [비 온 날] : 비 온 날

날씨	[맑은 날]	[흐린 날]	[비 온 날]
날수			

[11~13] 몬스터 나라에 살고 있는 몬스터들입니다. 기준에 따라 몬스터를 분류하여 그 수를 세어 보려고 합니다. 물음에 답하세요.

11 모양에 따라 분류하여 그 수를 세어 보세요.

모양	⬭ 모양	▭ 모양	⏢ 모양
몬스터 수(마리)			

12 뿔의 수에 따라 분류하여 그 수를 세어 보세요.

뿔의 수	1개	2개	3개
몬스터 수(마리)			

13 눈의 수에 따라 분류하여 그 수를 세어 보세요.

눈의 수	1개	2개	3개	4개
몬스터 수(마리)				

6 곱셈

여러 가지 방법으로 세기

하나씩 세기, 뛰어 세기, 묶어 세기와 같이 여러 가지 방법이 있지만 묶어 세기 방법이 가장 편리합니다.

묶어 세기

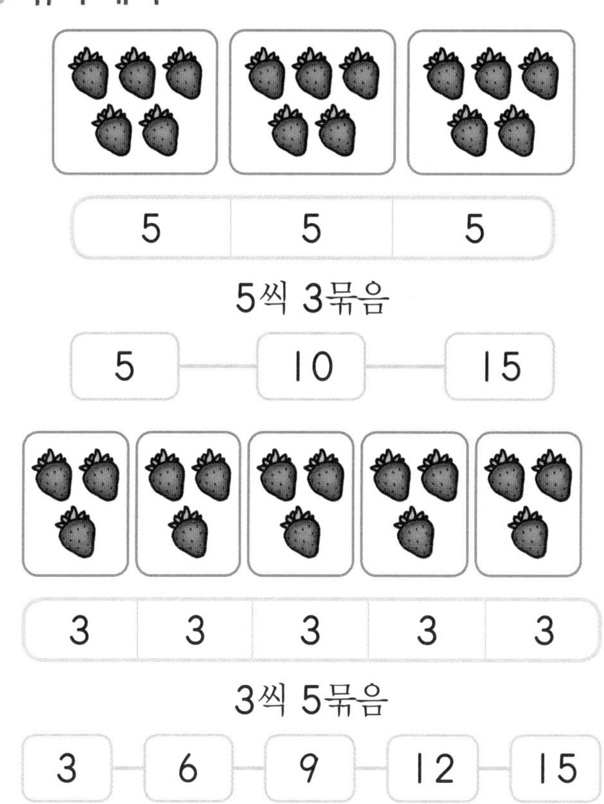

2의 몇 배 알아보기

→ 2의 4배는 8입니다.

곱셈식 알아보기

- 곱셈 알아보기

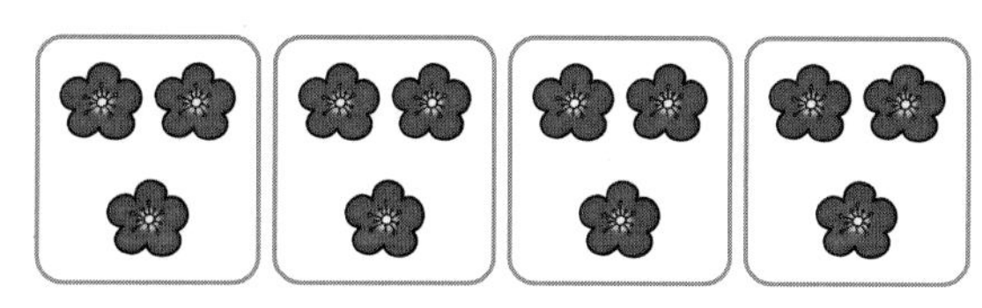

3의 4배를 3×4라고 씁니다.
3×4는 3 곱하기 4라고 읽습니다.

- 곱셈식 알아보기

$7+7+7$은 7×3과 같습니다.
$7\times3=21$
$7\times3=21$은 7 곱하기 3은 21과 같습니다라고 읽습니다.
7과 3의 곱은 21입니다.

곱셈식으로 나타내기

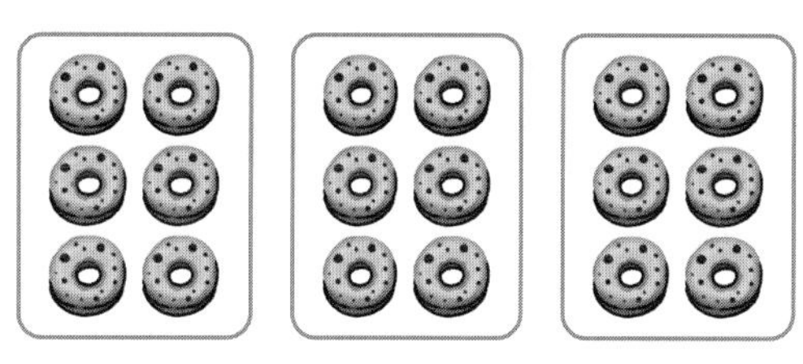

① 덧셈식: $6+6+6=18$
② 곱셈식: $6\times3=18$
→ 도넛은 모두 18개입니다.

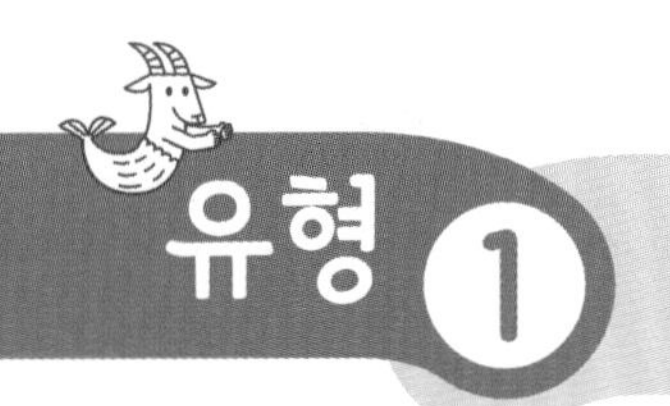

유형 ① 몇의 몇 배 구하기

문제 해결

1 시장에서 참외를 5개 샀고, 사과는 참외의 3배를 샀습니다. 산 참외와 사과는 모두 몇 개인지 구해 보세요.

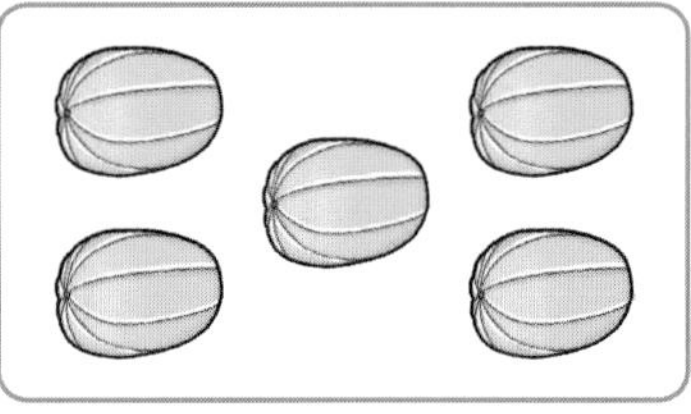

❶ 산 사과의 수만큼 위의 빈 곳에 ○를 그려 보세요.

❷ 산 사과의 수를 덧셈식과 곱셈식으로 각각 나타내어 보세요.

❸ 산 참외와 사과는 모두 몇 개일까요?

(　　　　　　　　)

2 가지의 수는 당근의 수의 몇 배일까요?

(1)

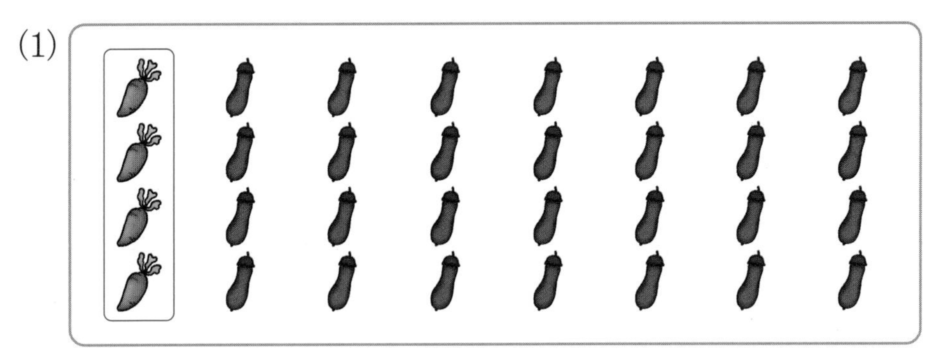

(　　　　　　　　)

(2)

(　　　　　　　　)

3 농장에 닭이 3마리 있고, 병아리는 닭의 4배가 있습니다. 병아리는 몇 마리인지 덧셈식과 곱셈식으로 각각 나타내고 답을 구해 보세요.

덧셈식 ____________________

곱셈식 ____________________

답 ____________

유형 2 수 카드로 곱셈식 만들기

문제 해결

1 보기 와 같이 주어진 수 카드를 한 번씩 모두 사용하여 곱셈식을 만들어 보세요.

준비물 붙임딱지

① 주어진 수 카드를 한 번씩 모두 사용하여 곱셈식이 되도록 알맞은 수 카드 붙임딱지를 붙여 보세요.

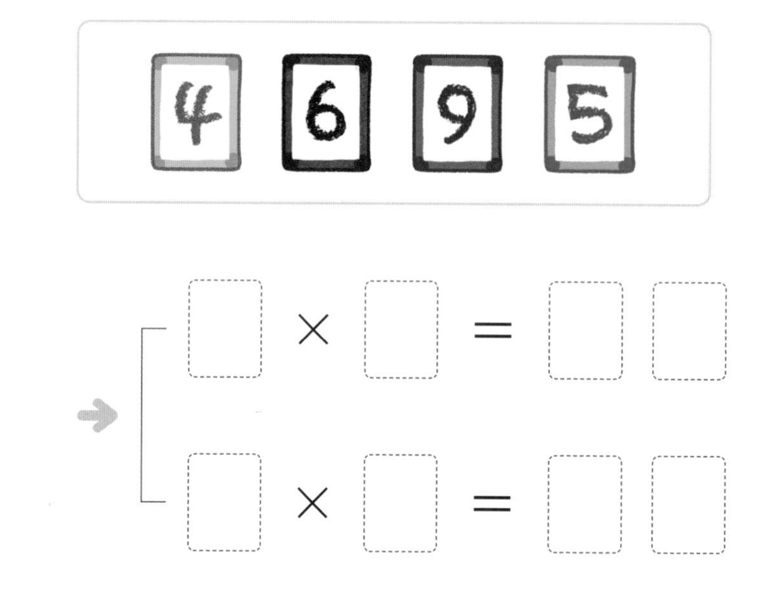

② 수 카드를 한 번씩 모두 사용하여 곱셈식을 만들어 보세요.

(　　　　　　　　　　　　　　　　　　)

준비물 붙임딱지

2 5장의 수 카드 중 4장을 한 번씩 모두 사용하여 곱셈식을 만들려고 합니다. 알맞은 수 카드 붙임딱지를 붙여 보세요.

(1)

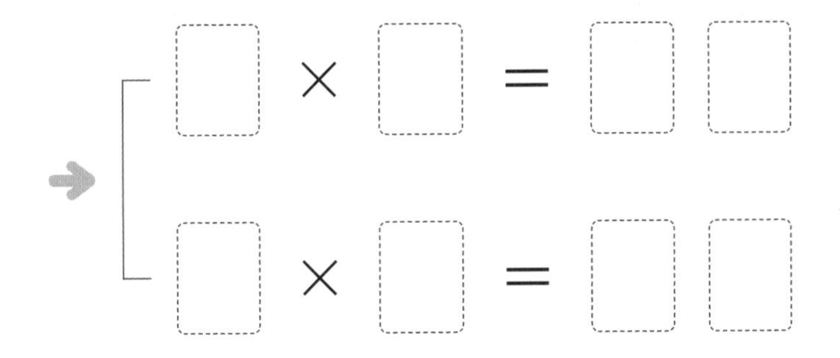

(2)

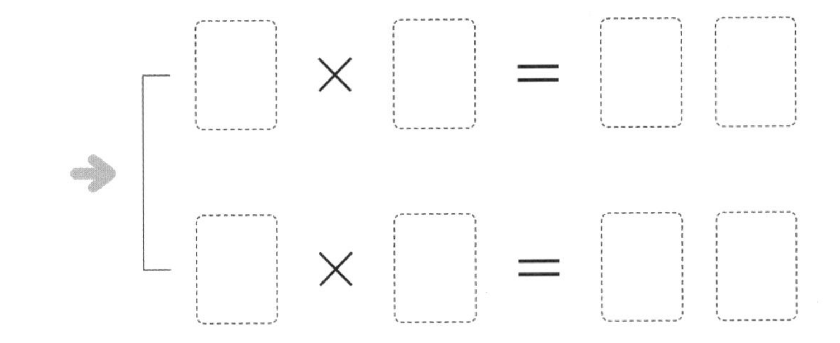

3 6장의 수 카드 중 4장을 한 번씩 모두 사용하여 곱셈식을 만들었습니다. 만들고 남은 수 카드 수의 곱을 구해 보세요.

(　　　　　　　)

6
단원

유형 3 곱셈식 완성하기

문제 해결

1 두발자전거가 6대 있습니다. 두발자전거의 바퀴 수와 같도록 빈 곳에 붙임딱지를 붙이고, 곱셈식을 완성해 보세요.

두발자전거

[2] × [6] = [12]

두발자전거 바퀴 수 ↑ ↑ 두발자전거 수

준비물 붙임딱지

❶ 두발자전거의 바퀴 수와 세발자전거의 바퀴 수가 같도록 빈 곳에 세발자전거 붙임딱지를 붙이고, 곱셈식을 완성해 보세요.

세발자전거

[ ] × [ ] = [ ]

준비물 붙임딱지

❷ 두발자전거의 바퀴 수와 돼지의 다리 수가 같도록 빈 곳에 돼지 붙임딱지를 붙이고, 곱셈식을 완성해 보세요.

돼지

[ ] × [ ] = [ ]

준비물 붙임딱지

2 거미의 다리 수와 코끼리의 다리 수가 같도록 오른쪽 빈 곳에 코끼리 붙임딱지를 붙이고, 곱셈식을 완성해 보세요.

$\square \times \square = \square$

코끼리

$\square \times \square = \square$

준비물 붙임딱지

3 문어의 다리 수와 개미의 다리 수가 같도록 오른쪽 빈 곳에 개미 붙임딱지를 붙이고, 곱셈식을 완성해 보세요.

$\square \times \square = \square$

개미

$\square \times \square = \square$

유형 4 모두 몇 가지인지 구하기

추론

1 효정이가 옷장에서 윗옷과 아래옷을 하나씩 고르고 있습니다. 효정이가 옷을 입을 수 있는 방법은 모두 몇 가지인지 곱셈식을 쓰고 답을 구해 보세요.

❶ 효정이가 옷을 입을 수 있는 방법은 모두 몇 가지인지 선으로 연결해 보세요.

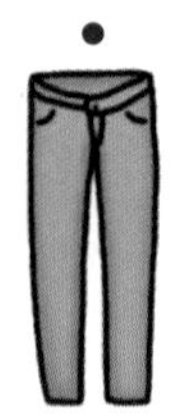

❷ 효정이가 옷을 입을 수 있는 방법은 모두 몇 가지인지 곱셈식을 쓰고 답을 구해 보세요.

식 ______________________

2 도넛 가게에서 가영이는 도넛과 음료수를 하나씩 고르고 있습니다. 도넛과 음료수를 고를 수 있는 방법은 모두 몇 가지인지 곱셈식을 쓰고 답을 구해 보세요.

식 ____________________

답 ____________________

3 소희는 서로 다른 모자 5가지와 목도리 3가지 중 모자와 목도리를 하나씩 골라 입으려고 합니다. 모자와 목도리를 입을 수 있는 방법은 모두 몇 가지일까요?

(　　　　　　　　)

유형 5 모양이 나타내는 값 구하기

문제 해결

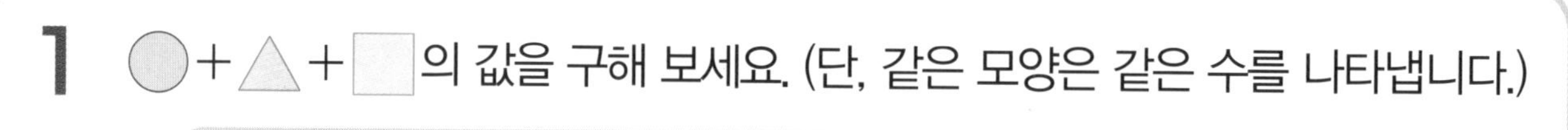

1 ○+△+□의 값을 구해 보세요. (단, 같은 모양은 같은 수를 나타냅니다.)

$7\times○=28$ $\quad$ $△\times5=15$ $\quad$ $○\times△=□$

❶ ○의 값을 구해 보세요.

( )

❷ △의 값을 구해 보세요.

( )

❸ □의 값을 구해 보세요.

( )

❹ ○+△+□의 값을 구해 보세요.

( )

2 □ 안에 알맞은 수를 써넣으세요.

(1) ◯×6=24　　7×△=21

➔ ◯×△=□

(2) □×5=35　　9×♡=27

➔ □×♡=□

(3) △×6=30　　7×□=14

➔ △×□=□

(4) 8×◯=32　　4×☆=36

➔ ◯×☆=□

6 단원

3 ☆+♡+△+◯의 값을 구해 보세요. (단, ☆, ♡, △, ◯는 모두 서로 다른 한 자리 수입니다.)

☆×♡=24　　△×◯=24

(　　　　　　)

유형 6 필요한 성냥개비 수 구하기

추론

1 그림과 같이 성냥개비 한 개를 한 변으로 하여 삼각형을 8개 만들려고 합니다. 성냥개비는 모두 몇 개 필요한지 구해 보세요.

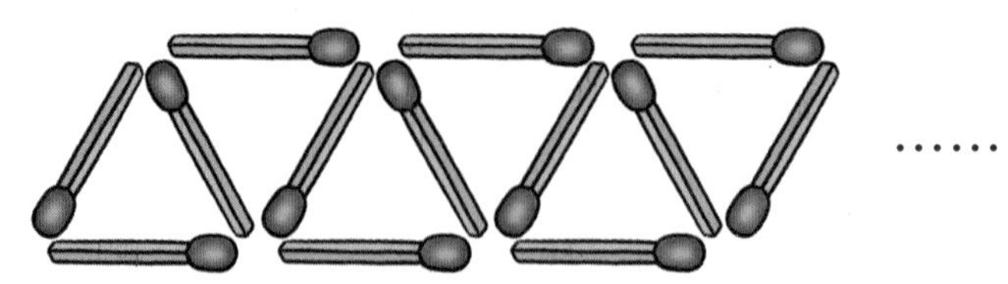

❶ 삼각형을 만들 때 필요한 성냥개비 수를 알아보려고 합니다. □ 안에 알맞은 수를 써넣으세요.

- 삼각형을 1개 만들 때: 3개
- 삼각형을 2개 만들 때: 삼각형을 1개 만들 때보다 □개가 더 필요하므로 모두 3+□=□(개)가 필요합니다.
- 삼각형을 3개 만들 때: 삼각형을 1개 만들 때보다 $2 \times 2=$□(개)가 더 필요하므로 모두 3+□=□(개)가 필요합니다.
- 삼각형을 4개 만들 때: 삼각형을 1개 만들 때보다 $2 \times 3=$□(개)가 더 필요하므로 모두 3+□=□(개)가 필요합니다.

❷ 삼각형을 8개 만들 때 성냥개비는 모두 몇 개 필요한지 구해 보세요.

(　　　　　　　)

2 그림과 같이 성냥개비 한 개를 한 변으로 하여 사각형을 5개 만들려고 합니다. 성냥개비는 모두 몇 개 필요한지 구해 보세요.

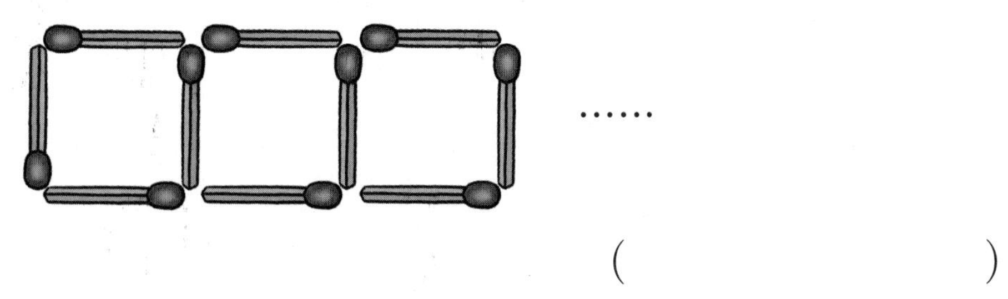

( )

3 그림과 같이 성냥개비 한 개를 한 변으로 하여 육각형을 4개 만들려고 합니다. 성냥개비는 모두 몇 개 필요한지 구해 보세요.

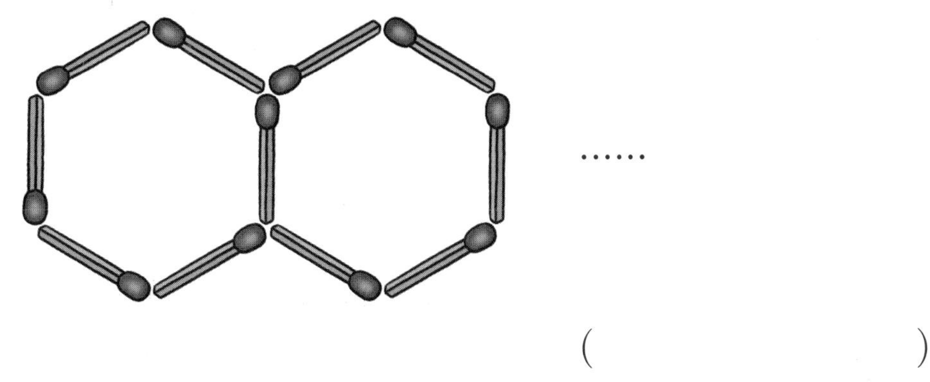

( )

사고력 종합 평가

[1~2] 명지는 운동을 가기 위하여 양말과 운동화를 하나씩 고르고 있습니다. 물음에 답하세요.

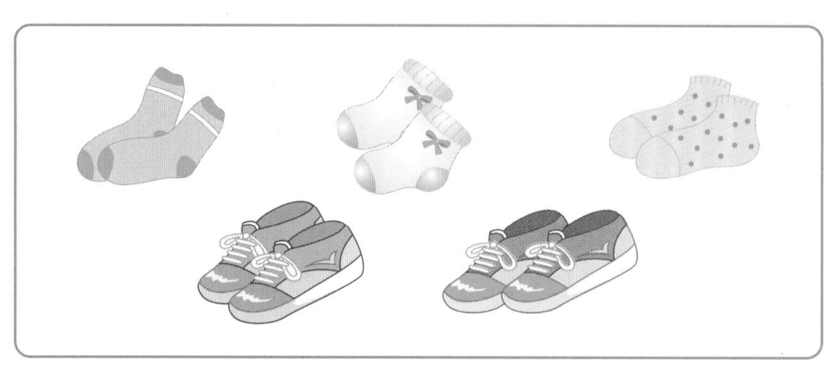

1 명지가 양말과 운동화를 신을 수 있는 방법은 모두 몇 가지인지 양말과 운동화를 선으로 연결해 보세요.

2 명지가 양말과 운동화를 신을 수 있는 방법은 모두 몇 가지인지 곱셈식을 쓰고 답을 구해 보세요.

식 ______________________

답 ______________________

3 주어진 수 카드를 한 번씩 모두 사용하여 곱셈식을 2개 완성해 보세요.

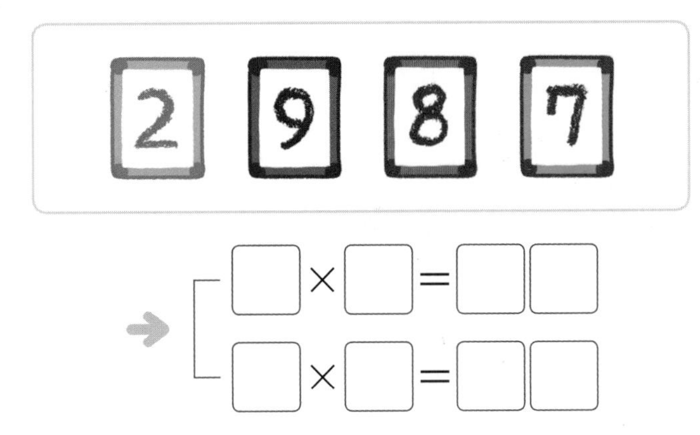

4 주어진 수 카드 중 4장을 한 번씩 모두 사용하여 곱셈식을 2개 완성해 보세요.

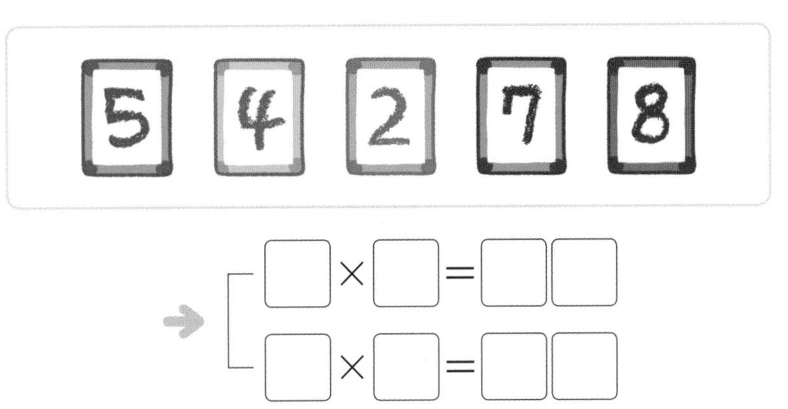

5 ♡와 ☆의 곱은 얼마일까요?

♡ × 5 = 20　　6 × ☆ = 36

(　　　　　　　　)

6 그림과 같이 성냥개비 한 개를 한 변으로 하여 오각형을 5개 만들려고 합니다. 성냥개비는 모두 몇 개 필요할까요?

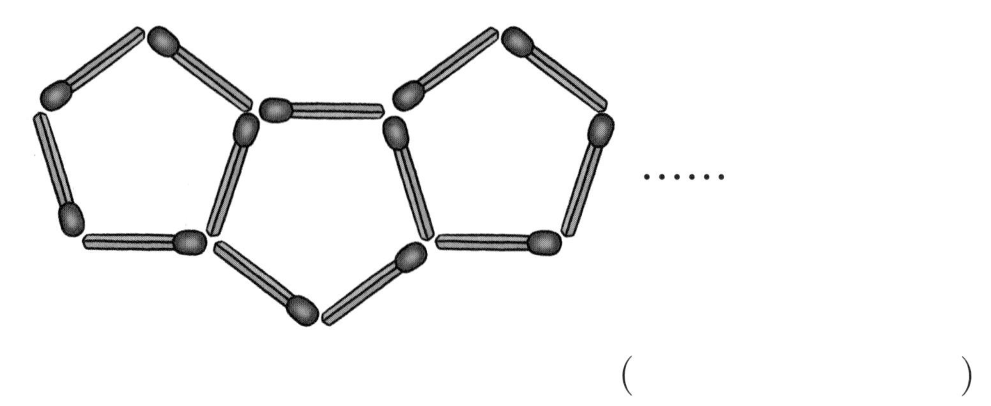

( )

7 면봉 25개로 다음과 같은 모양을 4개 만들려고 합니다. 만들고 남은 면봉은 몇 개일까요?

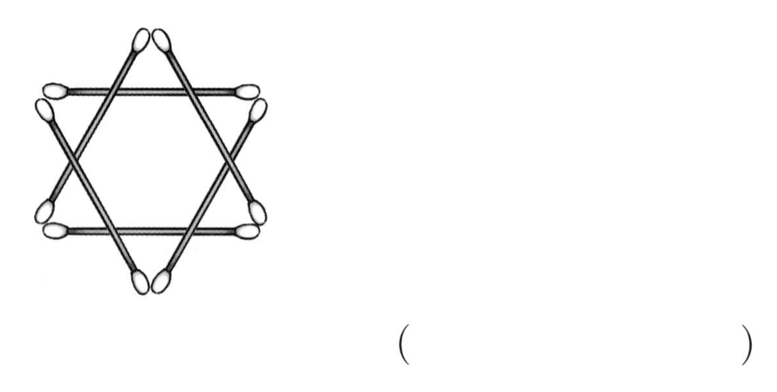

( )

8 ㉠과 ㉡의 합을 구해 보세요.

- 3+3+3+3+3은 3의 ㉠ 배입니다.
- 8+8+8+8+8+8은 8의 ㉡ 배입니다.

( )

9 오토바이 한 대의 바퀴는 2개이고, 자동차 한 대의 바퀴는 4개입니다. 오토바이의 바퀴 수와 자동차의 바퀴 수가 같아지도록 필요한 자동차의 수만큼 빈 곳에 ○를 그리고, 곱셈식을 완성해 보세요.

$\square \times \square = \square$

$\square \times \square = \square$

10 진주는 선생님께 칭찬 붙임딱지를 5장 받았고 명철이는 진주의 4배를 받았습니다. 물음에 답하세요.

(1) 명철이가 받은 칭찬 붙임딱지 수만큼 위의 빈 곳에 ○를 그려 보세요.

(2) 명철이가 받은 칭찬 붙임딱지 수를 덧셈식과 곱셈식으로 각각 나타내고 답을 구해 보세요.

덧셈식 ______________________

곱셈식 ______________________

답 ______________________

11 4와 어떤 수의 곱은 32입니다. 어떤 수와 6의 곱은 얼마일까요?

( )

12 지영이는 색종이를 9장 가지고 있고 서준이는 지영이가 가진 색종이의 3배를 가지고 있습니다. 지영이와 서준이가 가지고 있는 색종이는 모두 몇 장일까요?

( )

13 한 봉지에 초콜릿이 6개씩 7봉지 있습니다. 선생님께서 초콜릿을 3개씩 8명에게 나누어 주셨습니다. 남은 초콜릿은 몇 개일까요?

( )

2-1 Jump 붙임딱지

문제의 알맞은 곳에 붙임딱지를 붙여 보세요.

10~11쪽

   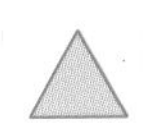  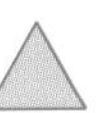    

   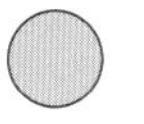     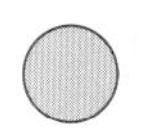  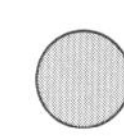  

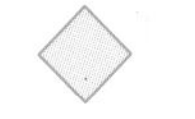        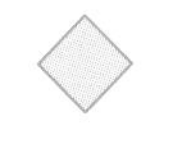  

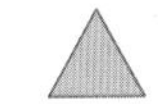 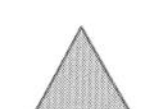     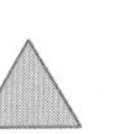 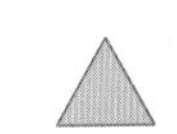  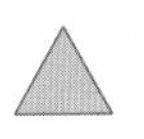 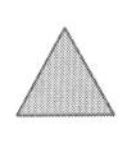  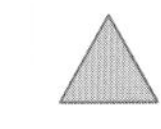

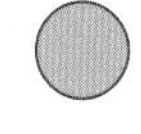 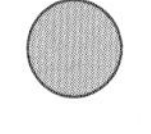           

17쪽

485 502 491 576 601

128 314 270 309 183

30~31쪽

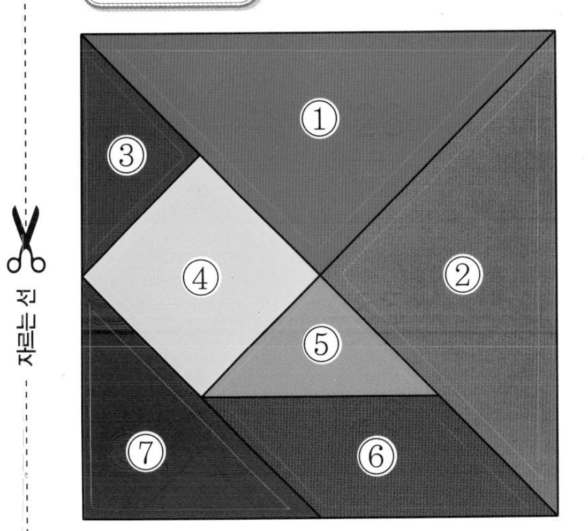

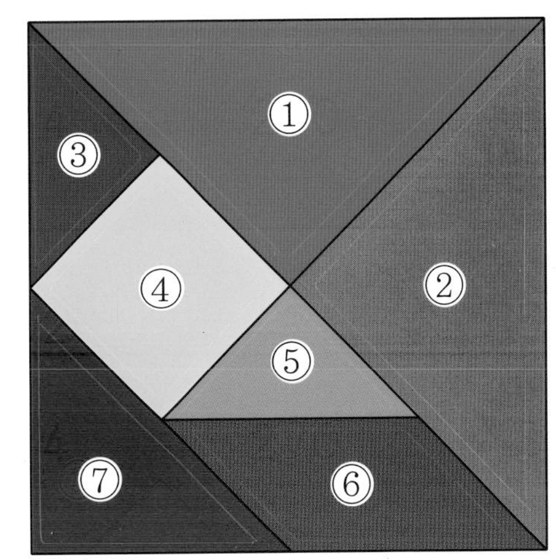

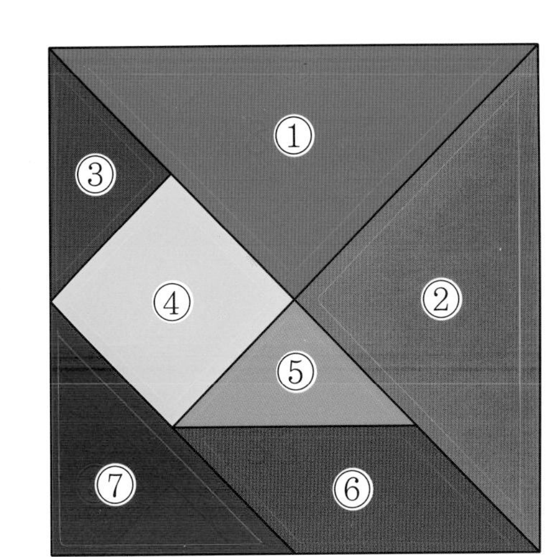

자르는 선

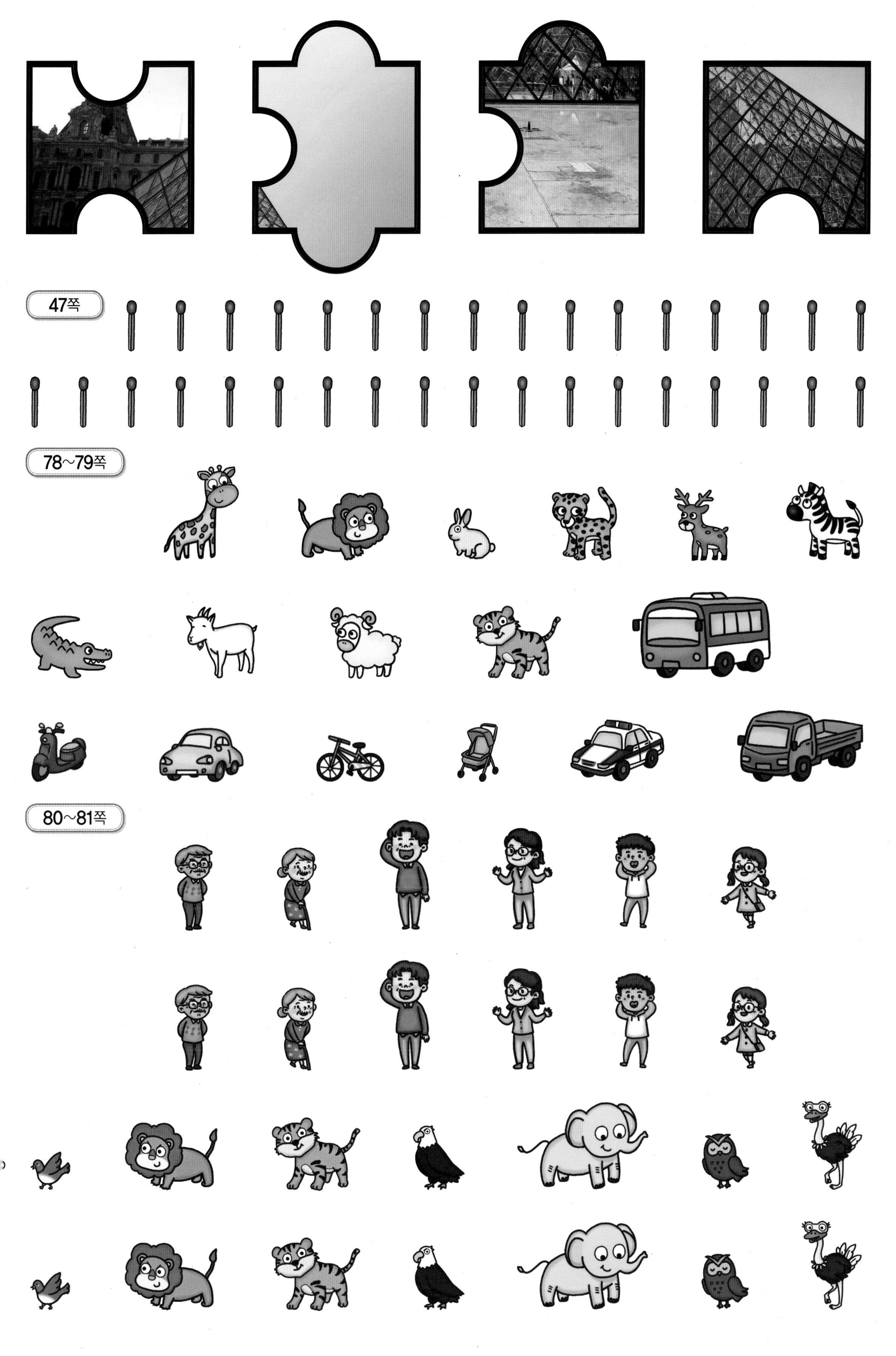
47쪽
78~79쪽
80~81쪽

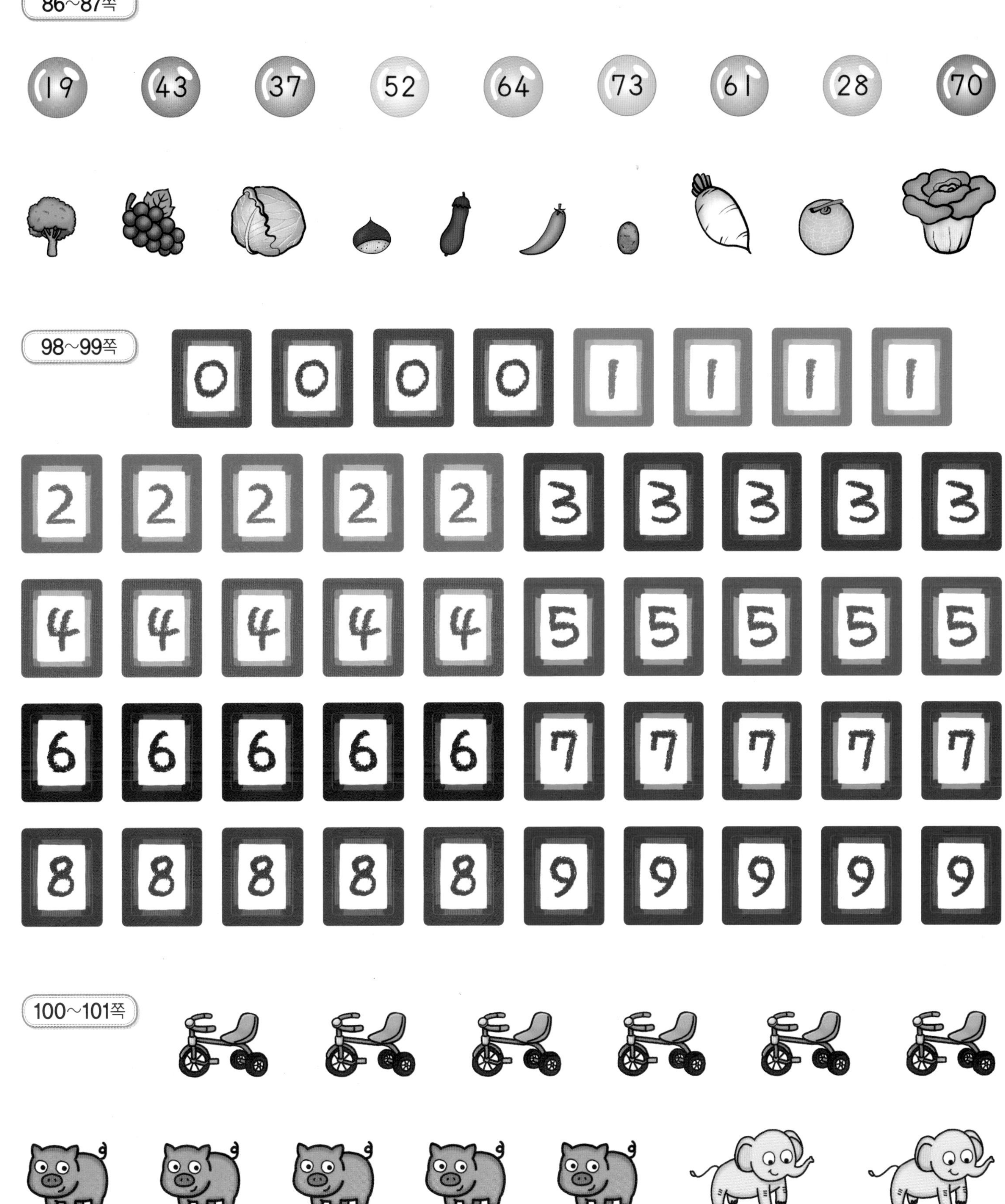
86~87쪽
19 43 37 52 64 73 61 28 70
98~99쪽
0 0 0 0 1 1 1 1
2 2 2 2 2 3 3 3 3 3
4 4 4 4 4 5 5 5 5 5
6 6 6 6 6 7 7 7 7 7
8 8 8 8 8 9 9 9 9 9
100~101쪽

자르는 선

2-1 Jump 칠교판, 자

관련 단원 2. 여러 가지 도형 / 4. 길이 재기

각자 여러 가지 모양을 생각하여 만들어 보세요.

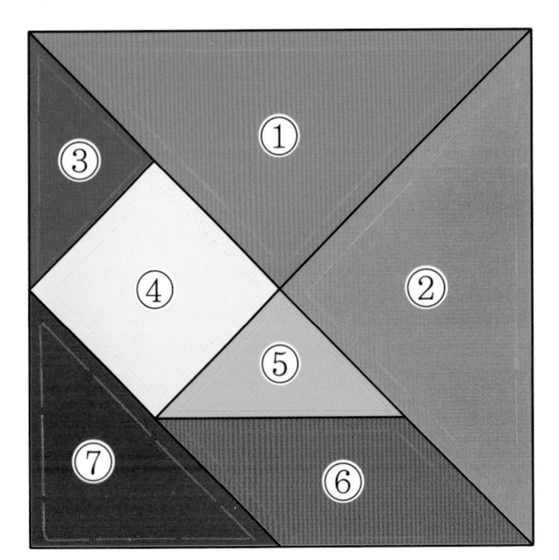

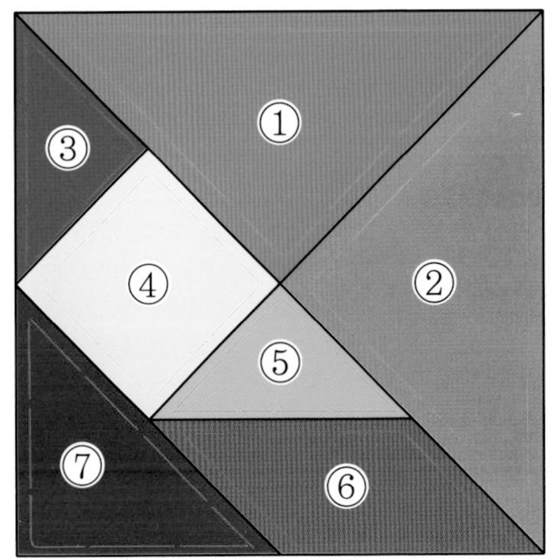

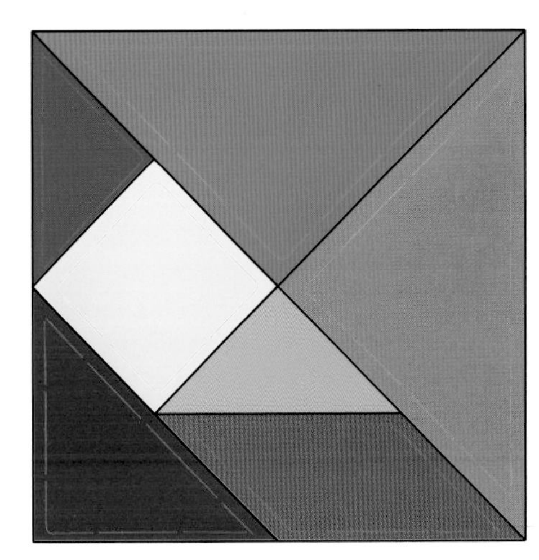

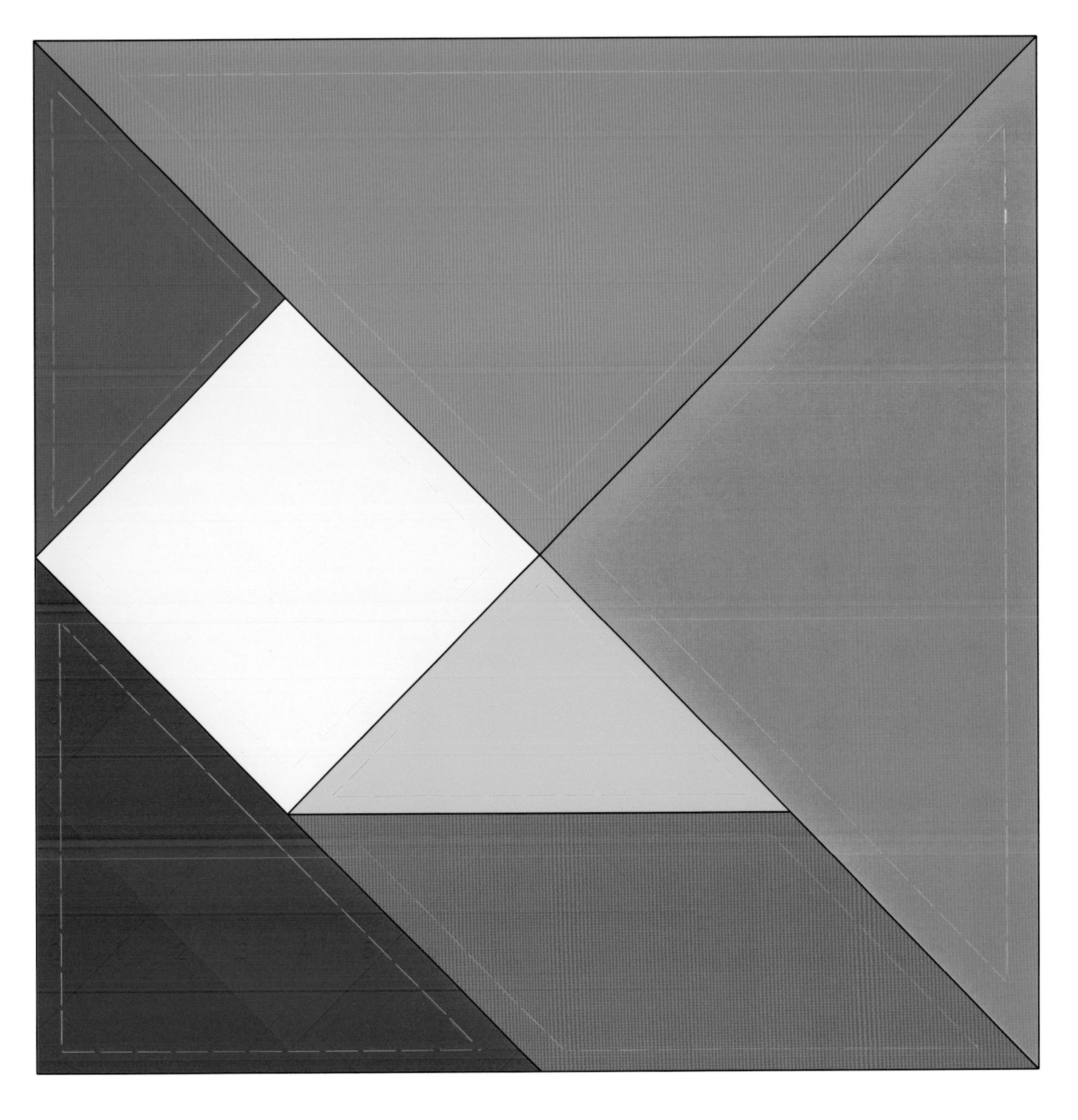

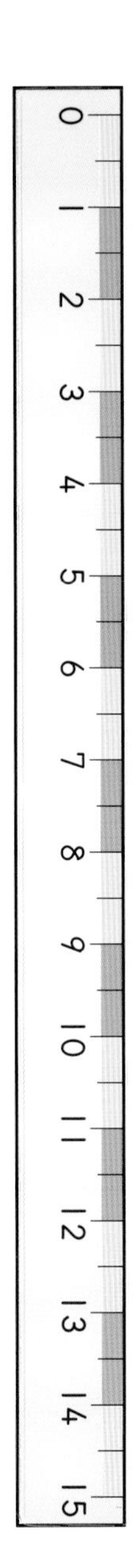

0 1 2 3 4 5 6 7 8 9 10

자르는 선

Go!
매쓰

사고력 중심

교과서 GO! 사고력 GO!

GO! 매쓰

정답과 풀이 수학 2-1

열심히
풀었으니까,
한 번 맞춰 볼까?

유형 1 100 만들기

문제 해결

1 그림에서 곶감이 모두 100개가 되려면 필요한 곶감은 몇 개인지 알아보세요.

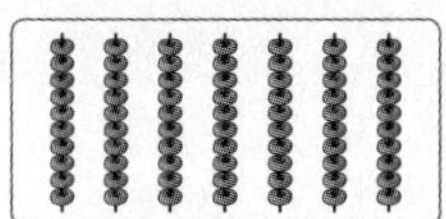

❶ 100은 10이 몇 개인 수일까요?

(10개)

❷ □ 안에 알맞은 수를 써넣으세요.

곶감은 10개씩 7 줄 있으므로 70 개입니다.

❸ 곶감의 수만큼 묶어 보고 남은 수 모형이 나타내는 수를 써 보세요.

예 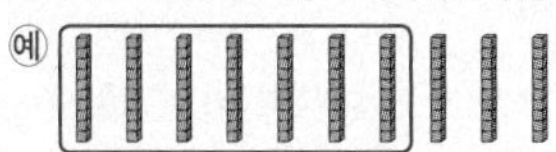

(30)

✤ 십 모형 7개를 묶으면 남은 수 모형은 십 모형 3개이므로 30입니다.

❹ 곶감이 모두 100개가 되려면 필요한 곶감은 몇 개일까요?

(30개)

2 다음 중 100을 나타내는 것을 찾아 ○표 하세요.

10이 100개인 수
90보다 10 큰 수
10보다 10 큰 수
99보다 1 작은 수

✤ • 10이 100개인 수: 1000
• 10보다 10 큰 수: 20
• 99보다 1 작은 수: 98

3 구슬이 모두 100개가 되려면 몇 개 더 있어야 하는지 써 보세요.

(1)

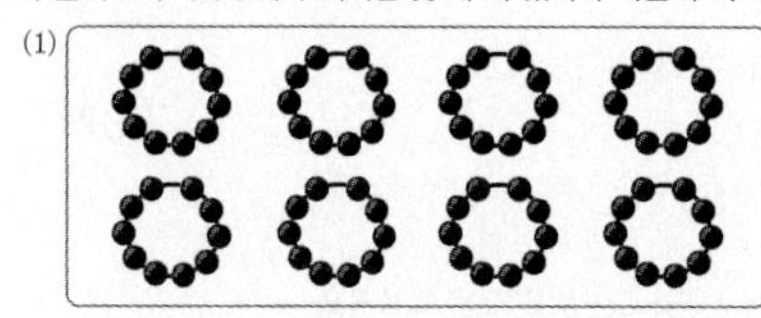

(20개)

(2)

(5개)

✤ (1) 구슬은 10개씩 묶음 8개가 있으므로 80개입니다.
100은 80보다 20 큰 수이므로 구슬이 20개 더 필요합니다.
(2) 구슬은 10개씩 묶음 9개와 낱개 5개가 있으므로 95개입니다.
100은 95보다 5 큰 수이므로 구슬이 5개 더 필요합니다.

유형 2 규칙에 따라 뛰어서 세기

문제 해결

1 그림을 보고 10씩 뛰어서 세어 빈 연잎에 알맞은 수를 써넣으려고 합니다. 물음에 답하세요.

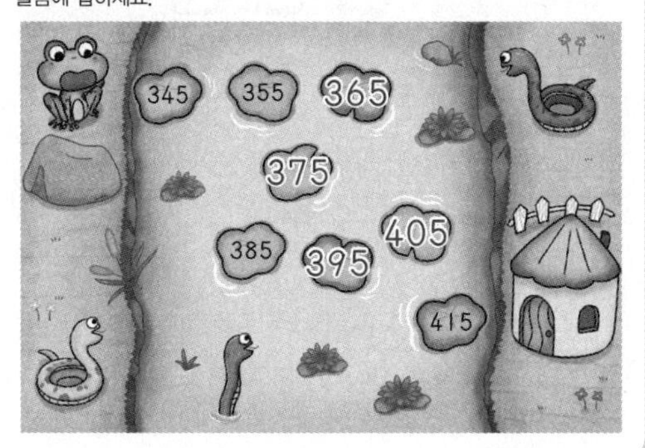

❶ 다음과 같이 뛰어서 세면 어느 자리 숫자가 몇씩 커질까요?

100씩 뛰어서 세면 (백, 십, 일)의 자리 숫자가 1 씩 커집니다.

10씩 뛰어서 세면 (백, 십, 일)의 자리 숫자가 1 씩 커집니다.

1씩 뛰어서 세면 (백, 십, 일)의 자리 숫자가 1 씩 커집니다.

❷ 10씩 뛰어서 세어 그림의 빈 연잎에 알맞은 수를 써넣으세요.

✤ 345부터 10씩 뛰어서 세면
345−355−365−375−385−395−405−415입니다.

2 354부터 100씩 5번 뛰어서 센 수는 얼마일까요?

(854)

✤ 354부터 100씩 5번 뛰어서 센 수를 찾으면
354−454−554−654−754−854입니다.

3 뛰어서 세었습니다. 빈칸에 알맞은 수를 써넣으세요.

733 − 732 − 731 − 730 − 729 − 728

✤ 733부터 1씩 거꾸로 뛰어서 센 수이므로
733−732−731−730−729−728입니다.

4 부엉이의 말을 읽고 이벤트에 당첨된 번호를 가지고 있는 동물의 이름을 모두 써 보세요.

(토끼, 독수리, 원숭이)

✤ 145부터 60씩 뛰어서 세면
145−205−265−325−385−445이므로
토끼, 독수리, 원숭이가 당첨 번호를 가지고 있습니다.

유형 3 수의 표현 방법 이해하기 추론

1 민지는 326을 다음과 같이 나타내었습니다. 민지의 수 표현 방법으로 274를 나타내어 보세요.

❶ △ 1개는 ○ 몇 개와 같을까요?
(10개)

❷ ○ 1개는 ◇ 몇 개와 같을까요?
(10개)

❸ △, ○, ◇가 나타내는 수를 각각 써 보세요.

△-100 ○-10 ◇-1

❹ 274를 모양 붙임딱지를 붙여 같은 방법으로 나타내어 보세요. 준비물 붙임딱지

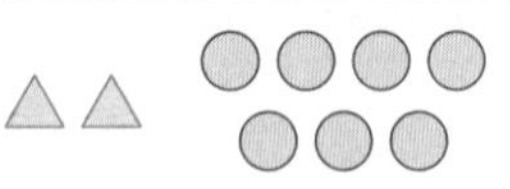

✣ 274는 100이 2개, 10이 7개, 1이 4개이므로 △ 2개, ○ 7개, ◇ 4개로 나타냅니다.

2 사과 수를 보기와 같은 방법으로 나타내려고 합니다. 빈 곳에 알맞은 모양 붙임딱지를 붙이고 □ 안에 알맞은 수를 써넣으세요. 준비물 붙임딱지

보기 사과 100개: ♡, 사과 10개: ☆, 사과 1개: △

	백의 자리	십의 자리	일의 자리
사과 423개	♡♡♡♡	☆☆	△△△
사과 562개	♡♡♡♡♡	☆☆☆☆☆☆	△△

✣ 423은 100이 4개, 10이 2개, 1이 3개인 수이므로 ♡♡♡♡☆☆△△△로 나타냅니다.
♡가 5개, ☆이 6개, △가 2개인 수는 562입니다.

3 보기와 같은 방법으로 715를 나타내려고 합니다. 빈 곳에 알맞은 모양 붙임딱지를 붙여 보세요. 준비물 붙임딱지

보기 234 → □□□□ ○○○ △△

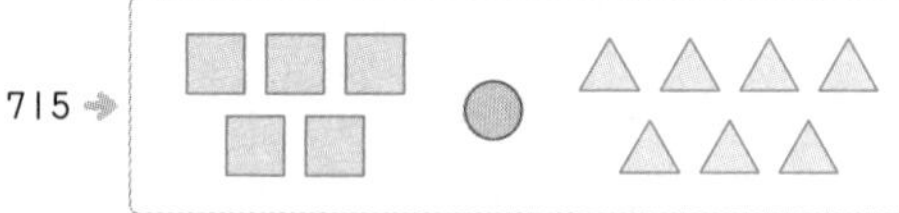

715 →

✣ 보기는 100은 △로, 10은 ○로, 1은 □로 나타내고 일-십-백의 자리 순으로 모양을 나타냅니다. 따라서 715는 △ 7개, ○ 1개, □ 5개로 나타낼 수 있습니다.

유형 4 수 카드로 수 만들기 문제 해결

1 다리의 수가 2개인 동물이 있는 수 카드를 한 번씩 사용하여 세 자리 수를 만들려고 합니다. 물음에 답하세요.

❶ 다리의 수가 2개인 동물이 있는 수 카드의 수를 모두 써 보세요.
(0, 5, 7)

✣ 다리의 수가 2개인 동물은 오리, 닭, 타조이므로 수 카드의 수는 0, 5, 7입니다.

❷ 다리의 수가 2개인 동물이 있는 수 카드를 한 번씩 사용하여 만들 수 있는 가장 큰 세 자리 수는 얼마일까요?
(750)

✣ 7>5>0이므로 가장 큰 세 자리 수는 750입니다.

❸ 다리의 수가 2개인 동물이 있는 수 카드를 한 번씩 사용하여 만들 수 있는 가장 작은 세 자리 수는 얼마일까요?
(507)

✣ 0<5<7이지만 0은 백의 자리에 놓을 수 없으므로 그 다음 작은 수인 5를 백의 자리에 놓습니다. 따라서 가장 작은 세 자리 수는 507입니다.

2 수 카드를 한 번씩 사용하여 세 자리 수를 만들려고 합니다. 만들 수 있는 세 자리 수 중 가장 큰 수와 가장 작은 수를 각각 구하세요.

6 8 3

가장 큰 수 (863)
가장 작은 수 (368)

✣ • 8>6>3이므로 가장 큰 세 자리 수는 863입니다.
• 3<6<8이므로 가장 작은 세 자리 수는 368입니다.

3 4장의 수 카드 중 3장을 뽑아 한 번씩 사용하여 세 자리 수를 만들려고 합니다. 만들 수 있는 세 자리 수 중 십의 자리 숫자가 5인 가장 큰 수와 가장 작은 수를 각각 구하세요.

7 2 5 9

가장 큰 수 (957)
가장 작은 수 (257)

✣ • 세 자리 수의 십의 자리에 5를 놓고 나머지 수 카드 중 큰 수부터 차례로 백의 자리와 일의 자리에 숫자를 놓습니다.
9>7>2이므로 가장 큰 세 자리 수는 957입니다.
• 세 자리 수의 십의 자리에 5를 놓고 나머지 수 카드 중 작은 수부터 차례로 백의 자리와 일의 자리에 숫자를 놓습니다.
2<7<9이므로 가장 작은 세 자리 수는 257입니다.

유형 5 조건에 맞는 수 만들기 (문제 해결)

1 동전 4개 중 3개를 사용하여 나타낼 수 있는 세 자리 수는 모두 몇 개인지 알아보려고 합니다. 물음에 답하세요.

211 210 201 200
101 111 112 102

❶ 동전 4개 중 동전 3개를 사용하여 나타낼 수 있는 세 자리 수를 알아보려고 합니다. 빈칸에 알맞은 수를 써넣으세요.

100원(개)	10원(개)	1원(개)	세 자리 수
2	1	0	210
2	0	1	201
1	1	1	111

❷ 동전 4개 중 동전 3개를 사용하여 나타낼 수 있는 세 자리 수를 모두 써 보세요.

(210, 201, 111)

❸ 동전 4개 중 3개를 사용하여 나타낼 수 있는 세 자리 수는 모두 몇 개일까요?

(3개)

정답과 풀이 3쪽

2 수 모형 5개 중 3개를 사용하여 나타낼 수 있는 세 자리 수를 모두 써 보세요.

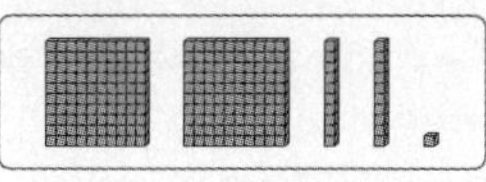

(210, 201, 120, 111)

✤ 수 모형 3개만 사용하여 세 자리 수를 만들어야 합니다.

백 모형(개)	십 모형(개)	일 모형(개)	세 자리 수
2	1	0	210
2	0	1	201
1	2	0	120
1	1	1	111

3 동전 5개 중 4개를 사용하여 나타낼 수 있는 세 자리 수를 모두 써 보세요.

(211, 202, 112)

✤ 동전 4개만 사용하여 세 자리 수를 만들어야 합니다.

100원(개)	10원(개)	1원(개)	세 자리 수
2	1	1	211
2	0	2	202
1	1	2	112

유형 6 □ 안에 알맞은 수 구하기 (문제 해결)

1 0부터 9까지의 수 중에서 □ 안에 공통으로 들어갈 수 있는 수를 모두 구하려고 합니다. 물음에 답하세요.

64□<647　　2□5>228

❶ 64□<647 에서 □ 안에 들어갈 수 있는 수를 모두 구해 보세요.

(0, 1, 2, 3, 4, 5, 6)

✤ 백의 자리, 십의 자리 숫자가 같으므로 □ 안에 들어갈 수 있는 수는 7보다 작은 0, 1, 2, 3, 4, 5, 6입니다.

❷ 2□5>228 에서 □ 안에 들어갈 수 있는 수를 모두 구해 보세요.

(3, 4, 5, 6, 7, 8, 9)

✤ 백의 자리는 같고 일의 자리 숫자가 5<8입니다.
따라서 □ 안에 들어갈 수 있는 수는 2보다 큰 수여야 하므로 3, 4, 5, 6, 7, 8, 9입니다.

❸ 64□<647 과 2□5>228 의 □ 안에 공통으로 들어갈 수 있는 수를 모두 구해 보세요.

(3, 4, 5, 6)

정답과 풀이 3쪽

준비물 붙임딱지

2 수의 크기를 비교하여 작은 수부터 빈 곳에 수 붙임딱지를 붙여 보세요.

(1) 485 502 491 576 601

485 – 491 – 502 – 576 – 601

(2) 128 314 270 309 183

128 – 183 – 270 – 309 – 314

3 세 자리 수의 크기를 비교한 것입니다. □ 안에 들어갈 수 있는 한 자리 수를 모두 써 보세요.

3□0>352 → 6, 7, 8, 9

869<8□7 → 7, 8, 9

□17<519 → 1, 2, 3, 4, 5

사고력 종합 평가

1 10이 60개인 수는 100이 몇 개인 수와 같은지 알아보려고 합니다. □ 안에 알맞은 수를 써넣으세요.

10이 60개인 수는 600 이므로 100이 6 개인 수와 같습니다.

2 돈을 가장 많이 가지고 있는 친구를 찾아 이름을 써 보세요.

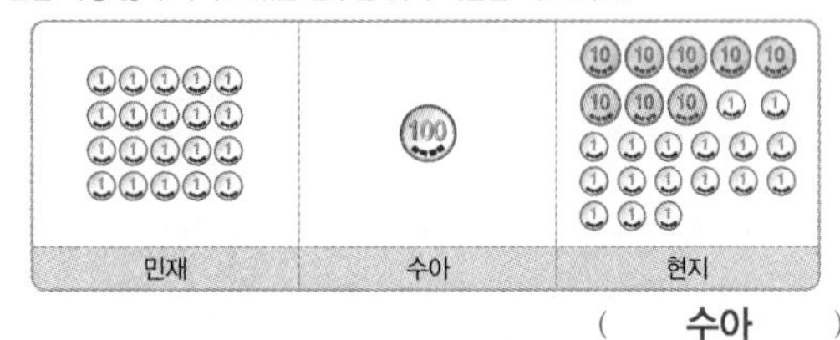

(수아)

✤ 민재: 20원, 수아: 100원, 현지: 97원이므로 수아가 가장 많이 가지고 있습니다.

3 뛰어서 세었습니다. 빈 곳에 알맞은 수를 써넣으세요.

✤ 296부터 10씩 거꾸로 뛰어서 세었으므로 십의 자리 숫자가 1씩 작아집니다.

➔ 296−286−276−266−256−246−236

4 460부터 10씩 뛰어서 세면서 —으로 이어 보세요.

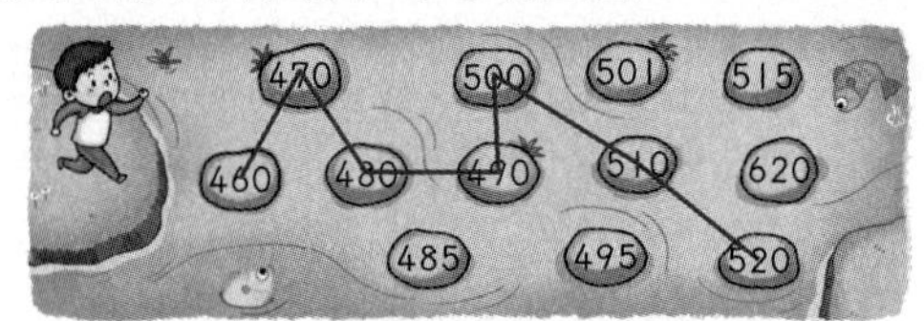

✤ 460−470−480−490−500−510−520

5 귤 수를 보기 와 같은 방법으로 나타내었습니다. 다음과 같이 나타낸 귤은 몇 개를 나타낼까요?

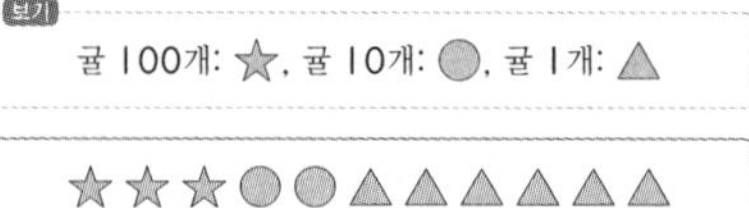

보기: 귤 100개: ★, 귤 10개: ●, 귤 1개: ▲

★★★●●▲▲▲▲▲▲

(326개)

✤ ★이 3개, ●이 2개, ▲이 6개이므로 326개입니다.

6 고구마 254개를 보기 와 같은 방법으로 나타내어 보세요.

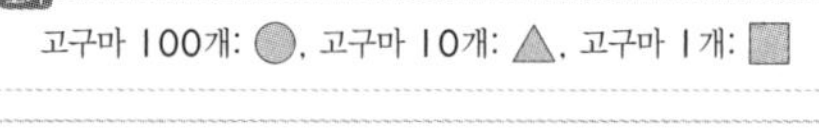

보기: 고구마 100개: ●, 고구마 10개: ▲, 고구마 1개: ■

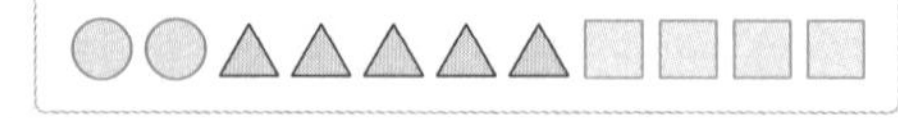

✤ 254는 100이 2개, 10이 5개, 1이 4개인 수이므로 ● 2개, ▲ 5개, ■ 4개로 나타낼 수 있습니다.

사고력 종합 평가

7 수 카드 4장 중 3장을 뽑아 한 번씩 사용하여 세 자리 수를 만들려고 합니다. 만들 수 있는 세 자리 수 중 가장 큰 수와 가장 작은 수를 각각 구해 보세요.

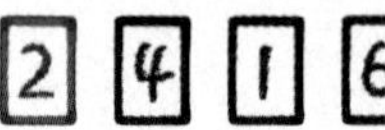

가장 큰 수 (642)

가장 작은 수 (124)

✤ • 6>4>2>1이므로 가장 큰 세 자리 수는 642입니다.
• 1<2<4<6이므로 가장 작은 세 자리 수는 124입니다.

8 □ 안에 알맞은 수를 써넣으세요.

(1) 483 은/는 100이 4개, 10이 6개, 1이 23개인 수입니다.

(2) 355 은/는 100이 2개, 10이 15개, 1이 5개인 수입니다.

(3) 874 은/는 100이 6개, 10이 26개, 1이 14개인 수입니다.

✤ (1) 1이 23개인 수는 10이 2개, 1이 3개인 수와 같습니다.
➔ 100이 4개, 10이 8개, 1이 3개인 수 ➔ 483

(2) 10이 15개인 수는 100이 1개, 10이 5개인 수와 같습니다. ➔ 100이 3개, 10이 5개, 1이 5개인 수 ➔ 355

(3) 10이 26개인 수는 100이 2개, 10이 6개인 수와 같고 1이 14개인 수는 10이 1개, 1이 4개인 수와 같습니다.
➔ 100이 8개, 10이 7개, 1이 4개인 수 ➔ 874

9 동전 5개 중 3개를 사용하여 나타낼 수 있는 세 자리 수를 모두 써 보세요.

(120, 111, 102)

✤

100원(개)	10원(개)	1원(개)	세 자리 수
1	2	0	120
1	1	1	111
1	0	2	102

10 510부터 뛰어서 센 것입니다. ㉮에 알맞은 수를 구해 보세요.

(710)

✤ 510부터 560까지 십의 자리 숫자가 5만큼 더 커졌으므로 510부터 50씩 뛰어서 센 것입니다. 따라서 510−560−610−660−710이므로 ㉮에 알맞은 수는 710입니다.

11 세 자리 수의 크기를 비교하였습니다. □ 안에 들어갈 수 있는 한 자리 수를 모두 써 보세요.

(1) 5□3>572 ➔ 7, 8, 9

(2) □19<507 ➔ 1, 2, 3, 4

12 수 모형 6개 중 3개를 사용하여 나타낼 수 있는 세 자리 수를 모두 써 보세요.

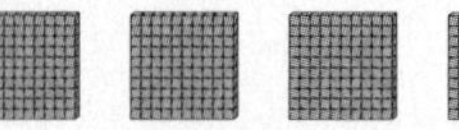

(300, 210, 201, 111, 102)

✤ 수 모형 3개만 사용하여 세 자리 수를 만들어야 합니다.

백 모형(개)	십 모형(개)	일 모형(개)	세 자리 수
3	0	0	300
2	1	0	210
2	0	1	201
1	1	1	111
1	0	2	102

정답과 풀이 5쪽

13 기차가 250부터 100씩 뛰어서 세어 휴게소에 도착한 뒤 10씩 뛰어서 세었습니다. 빈칸에 알맞은 수를 써넣으세요.

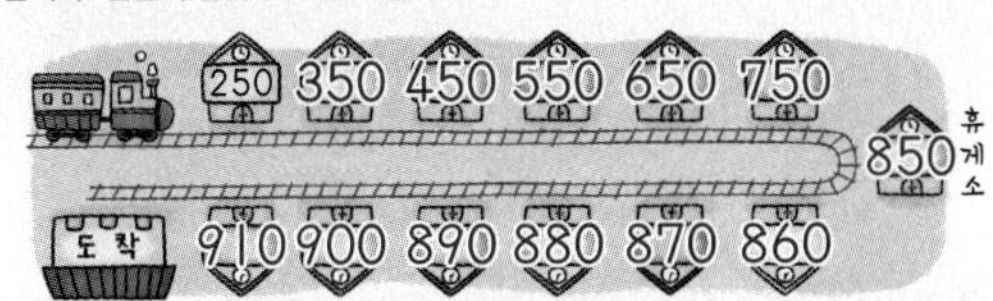

✤ 250부터 100씩 뛰어서 세면 250−350−450−550−650−750−850입니다.
850부터 10씩 뛰어서 세면 850−860−870−880−890−900−910입니다.

14 수 카드를 한 번씩 사용하여 세 자리 수를 만들려고 합니다. 만들 수 있는 세 자리 수 중 538보다 큰 수는 모두 몇 개일까요?

5 8 3

(3개)

✤ 만들 수 있는 세 자리 수는 358, 385, 538, 583, 835, 853입니다. 이 중에서 538보다 큰 수는 583, 835, 853으로 모두 3개입니다.

15 같은 세 자리 수를 보고 동물들이 한 말입니다. 세 자리 수는 얼마인지 구해 보세요.

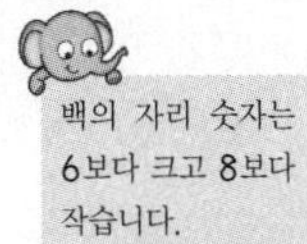

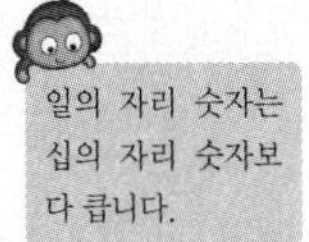

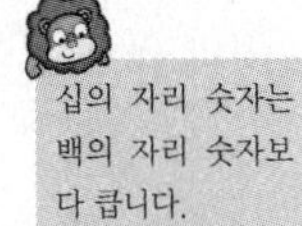

(789)

✤ 백의 자리 숫자는 6보다 크고 8보다 작으므로 7입니다.
7□○에서 □는 7보다 크므로 □=8 또는 9입니다.
• □=8이면 ○는 8보다 크므로 ○=9입니다. ➔ 7□○=789
• □=9이면 ○는 9보다 크므로 ○는 구할 수 없습니다.

유형 ① 원 찾아보기 문제 해결

정답과 풀이 5쪽

1 원에 적힌 수들의 합을 구해 보세요.

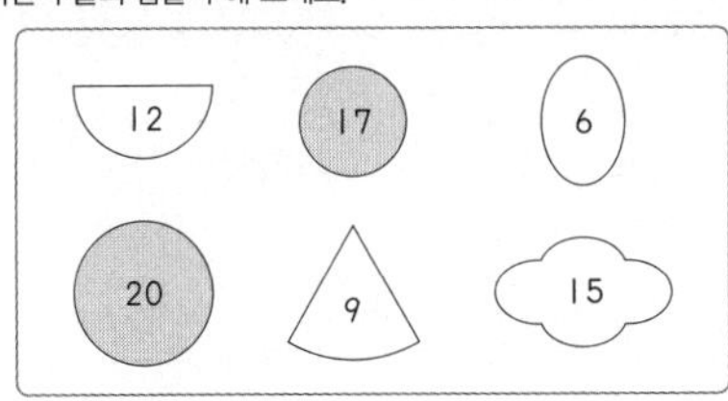

❶ 원을 모두 찾아 색칠해 보세요.
✤ 어느 쪽에서 보아도 똑같이 동그란 모양을 찾습니다.

❷ 원에 적힌 수를 모두 써 보세요.
(17, 20)

❸ 원에 적힌 수들의 합을 구해 보세요.
(37)
✤ 17+20=37

2 다음 모양은 원을 똑같이 4개로 나눈 것 중의 하나를 나타낸 것입니다. 이 모양을 겹치지 않게 이어 붙여 원 3개를 만들려면 모두 몇 개가 필요할까요?

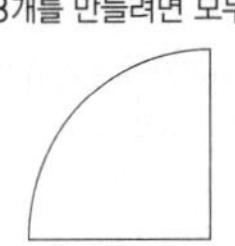

(12개)

✤ 원 1개를 만들려면 주어진 모양 4개가 필요하므로 원 3개를 만들려면 모두 4+4+4=12(개)가 필요합니다.

3 다영이와 세형이가 그린 그림에서 찾을 수 있는 원은 모두 몇 개일까요?

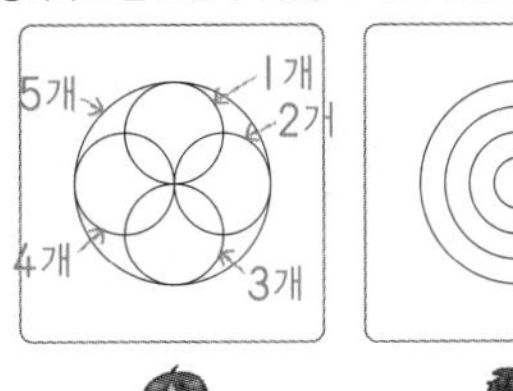

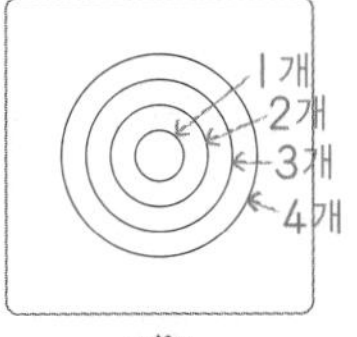

(9개)

✤ 다영: 5개, 세형: 4개 ➔ 5+4=9(개)

2 단원

정답과 풀이 6쪽

유형 ② 변의 수, 꼭짓점의 수 구하기 문제 해결

1 나은이와 승기가 카드 놀이를 하고 있습니다. 카드에 그려진 도형의 변의 수의 합이 더 큰 사람이 이기는 놀이입니다. 놀이에서 이긴 사람은 누구일까요?

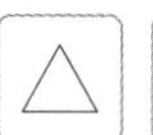
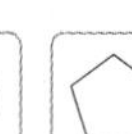

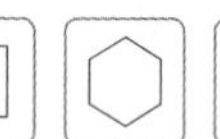

❶ 나은이가 가진 카드에 그려진 도형의 변의 수의 합을 구해 보세요.

(8)

✤ 삼각형의 변의 수: 3, 원의 변의 수: 0, 오각형의 변의 수: 5
➔ 3+0+5=8

❷ 승기가 가진 카드에 그려진 도형의 변의 수의 합을 구해 보세요.

(10)

✤ 사각형의 변의 수: 4, 육각형의 변의 수: 6, 원의 변의 수: 0
➔ 4+6+0=10

❸ 놀이에서 이긴 사람은 누구일까요?

(승기)

✤ 8<10이므로 승기가 가진 카드에 그려진 도형의 변의 수의 합이 더 큽니다.

2 삼각형의 꼭짓점은 ●개, 오각형의 꼭짓점은 ■개, 원의 꼭짓점은 ▲개입니다. ●+■+▲의 값을 구해 보세요.

(8)

✤ 삼각형의 꼭짓점은 3개, 오각형의 꼭짓점은 5개, 원의 꼭짓점은 0개입니다.
➔ ●+■+▲=3+5+0=8

3 가로칸에 있는 세 도형의 꼭짓점의 수의 합은 모두 같습니다. 빈칸에 알맞은 도형을 그려 보세요.

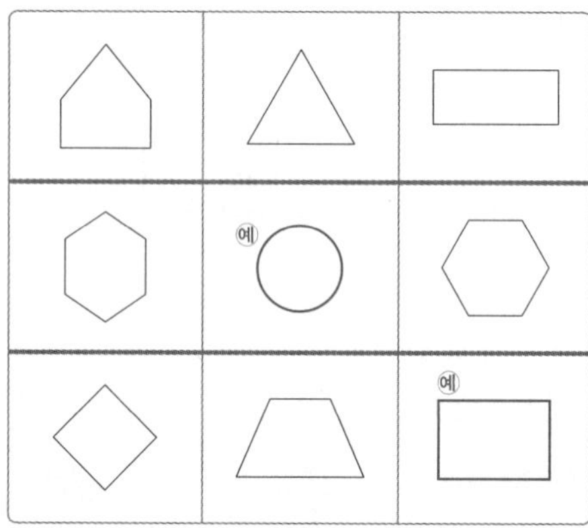

✤ 첫째 칸에 있는 도형은 오각형, 삼각형, 사각형이므로 꼭짓점의 수의 합은 5+3+4=12입니다.
둘째 칸에 있는 도형은 육각형과 육각형이므로 꼭짓점의 수의 합은 6+6=12이고, 빈칸에는 꼭짓점의 수가 0인 원을 그립니다.
셋째 칸에 있는 도형은 사각형과 사각형이므로 꼭짓점의 수의 합은 4+4=8이고, 12−8=4이므로 빈칸에는 꼭짓점의 수가 4인 사각형을 그립니다.

정답과 풀이 6쪽

유형 ③ 색종이로 도형 만들기 추론

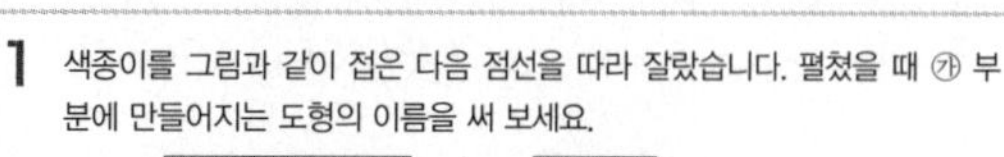

1 색종이를 그림과 같이 접은 다음 점선을 따라 잘랐습니다. 펼쳤을 때 ㉮ 부분에 만들어지는 도형의 이름을 써 보세요.

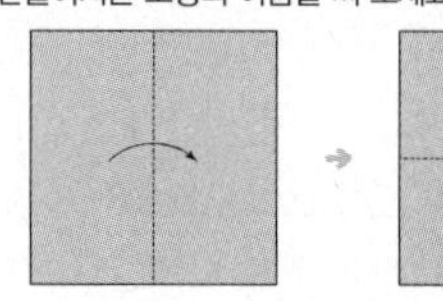
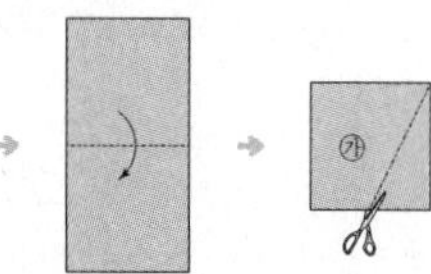

❶ 접은 그림을 거꾸로 펼쳤을 때를 나타낸 것입니다. 마지막 그림에 가위가 지나는 부분을 선으로 그어 보세요.

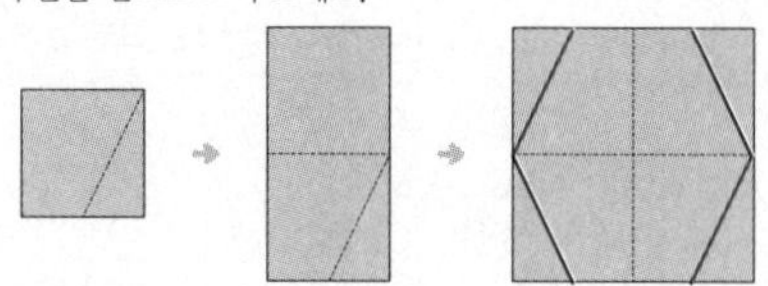

❷ ㉮ 부분에 만들어지는 도형의 이름을 써 보세요.

(육각형)

✤ ㉮ 부분을 펼치면 변이 6개인 육각형이 만들어집니다.

2 색종이를 그림과 같이 3번 접었습니다. 종이를 펼쳐서 접은 선을 따라 자르면 어떤 도형이 몇 개 만들어지는지 써 보세요.

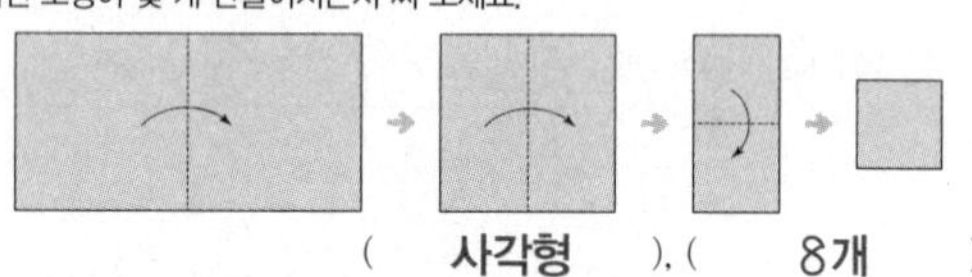

(사각형), (8개)

✤ 3번 접은 색종이를 다시 펼치면 다음과 같습니다.

따라서 접은 선을 따라 자르면 사각형이 8개 만들어집니다.

3 색종이를 그림과 같이 반으로 접은 다음 점선을 따라 잘랐습니다. 펼쳤을 때 ㉮ 부분에 만들어지는 도형의 이름을 써 보세요.

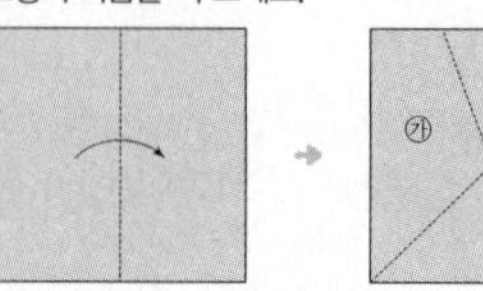

(오각형)

✤ 점선을 따라 자른 다음 ㉮ 부분을 펼치면 다음과 같은 오각형이 만들어집니다.

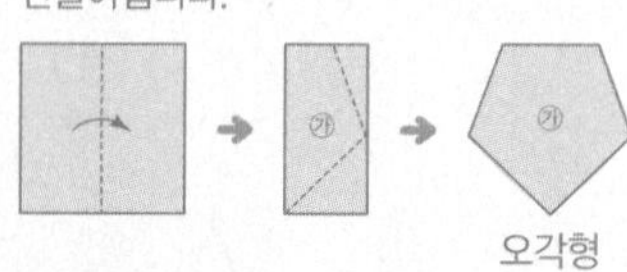

오각형

유형 4 칠교판으로 모양 만들기 추론

1 오른쪽 칠교판 일곱 조각을 모두 한 번씩 이용하여 다음 모양을 완성해 보세요.

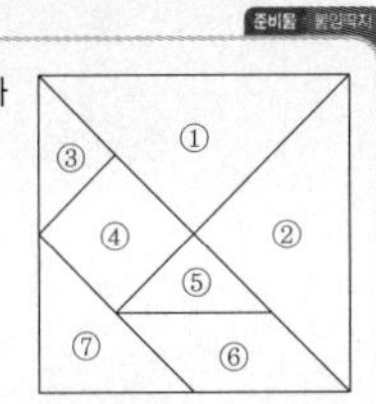

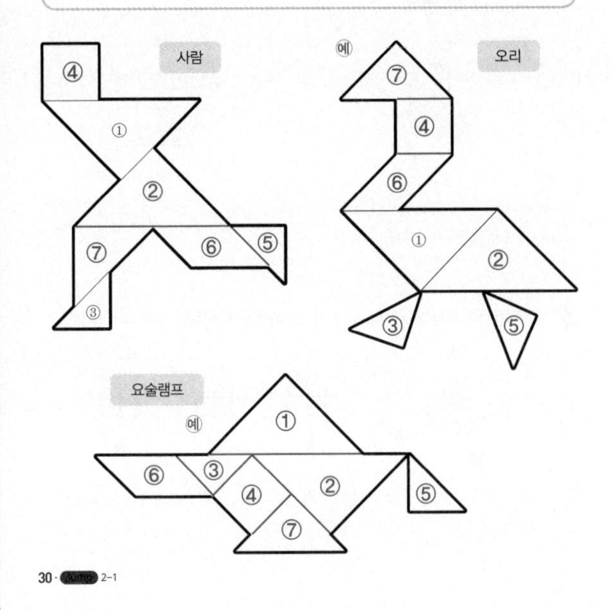

2 빈 곳에 알맞은 퍼즐 조각 붙임딱지를 붙여 보세요.

3 보기의 조각 중 4조각을 이용하여 오른쪽과 같은 사각형을 만들려고 합니다. 필요 없는 조각을 찾아 기호를 써 보세요.

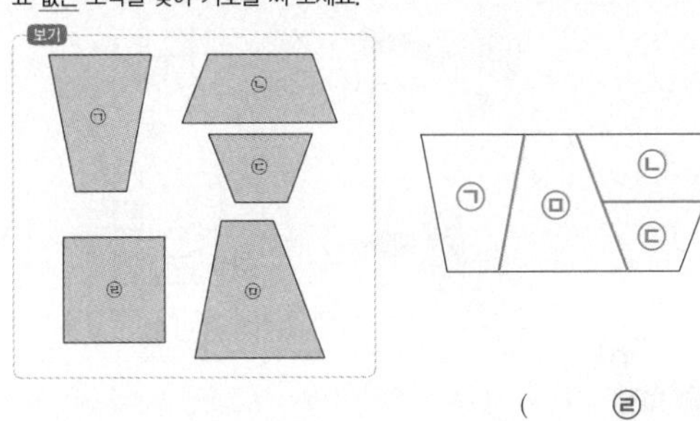

(ㄹ)

유형 5 쌓기나무의 수 구하기 문제 해결

1 영진이와 은지가 쌓기나무를 8개씩 가지고 있습니다. 각자 다음과 같은 모양을 만들고 남은 쌓기나무는 누가 더 많은지 구해 보세요.

영진 은지

❶ 각 모양을 만들 때 쌓기나무는 각각 몇 개 필요할까요?

영진 (6개)

은지 (7개)

- 영진: 1층: 4개, 2층: 2개 ➔ $4+2=6$(개)
- 은지: 1층: 5개, 2층: 2개 ➔ $5+2=7$(개)

❷ 모양을 만들고 남은 쌓기나무는 각각 몇 개일까요?

영진 (2개)

은지 (1개)

- 영진: $8-6=2$(개)
- 은지: $8-7=1$(개)

❸ 남은 쌓기나무는 누가 더 많을까요?

(영진)

$2>1$이므로 남은 쌓기나무는 영진이가 더 많습니다.

2 주머니 안에 들어 있는 쌓기나무를 모두 사용하여 만들 수 있는 모양을 찾아 이어 보세요.

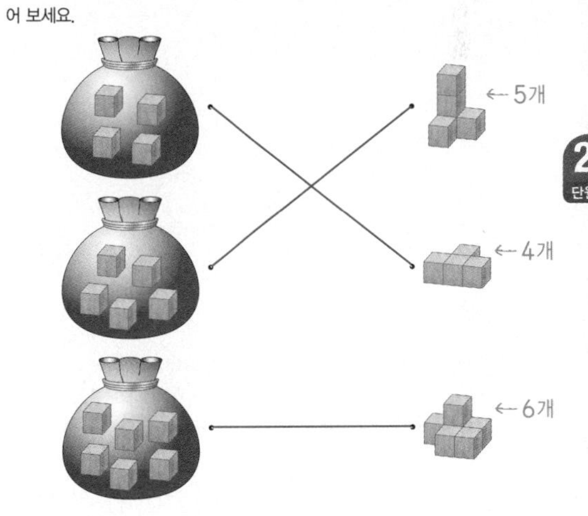

3 왼쪽 모양에 쌓기나무 3개를 더 쌓아서 만들 수 있는 모양을 찾아 기호를 써 보세요.

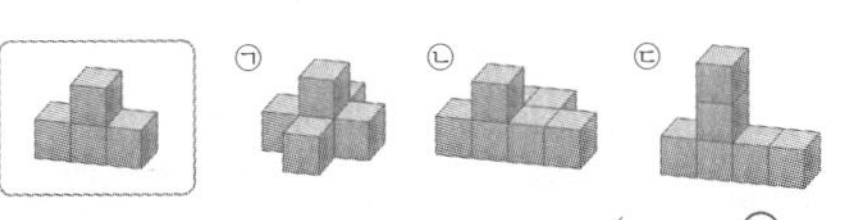

(ㄴ)

주어진 모양은 쌓기나무 4개로 만든 모양입니다.
따라서 ㉠ 6개 ㉡ 7개 ㉢ 6개이므로 쌓기나무 3개를 더 쌓아서 만들 수 있는 모양은 ㉡입니다.

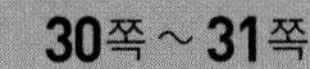

유형 6 각 위치에서 바라본 모양 추론

정답과 풀이 8쪽

1 보기는 쌓기나무로 쌓은 모양의 앞에서 불빛을 비추었을 때의 모양을 나타낸 그림입니다. 쌓기나무의 모양으로 알맞은 것을 찾아 기호를 써 보세요.

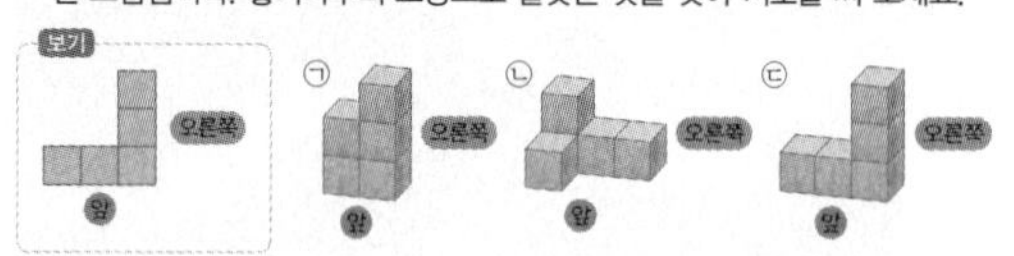

❶ 각 모양을 앞에서 보았을 때의 모양을 각각 그려 보세요.

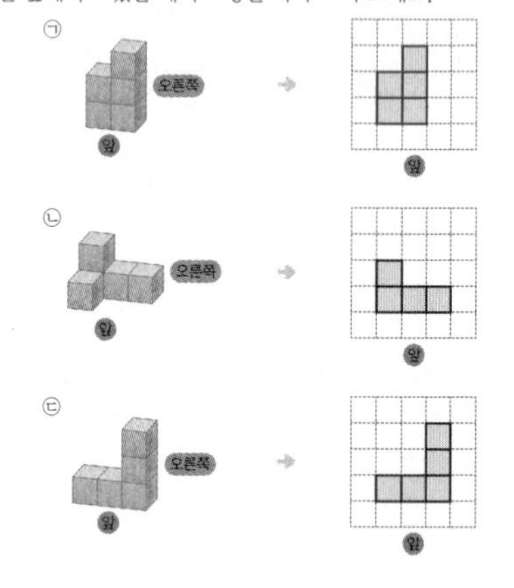

❷ 보기와 같은 쌓기나무의 모양으로 알맞은 것을 찾아 기호를 써 보세요.

(㉢)

2 쌓기나무로 쌓은 모양을 위에서 보았을 때의 모양을 찾아 이어 보세요.

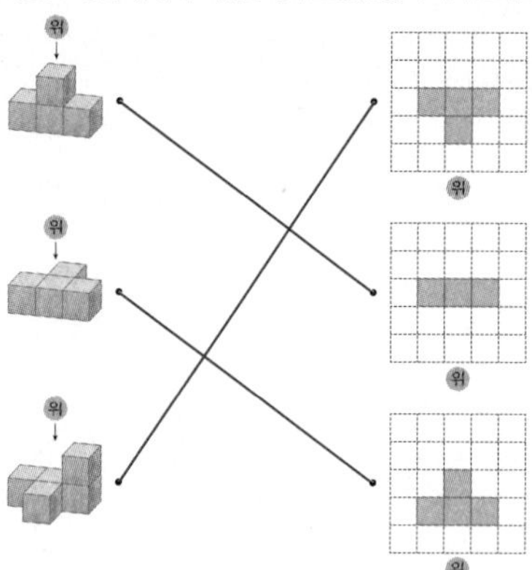

✤ 쌓기나무로 쌓은 모양을 위에서 본 모양은 1층에 쌓은 쌓기나무의 모양과 같습니다.

3 쌓기나무 4개로 쌓은 모양을 보고 위, 앞, 옆에서 본 모양을 각각 그려 보세요.

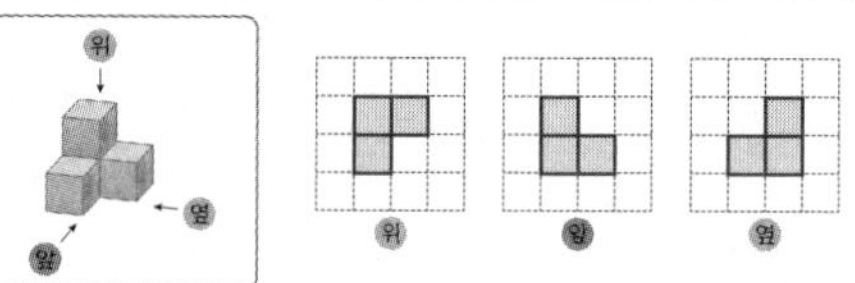

✤ 위에서 본 모양: 1층에 쌓은 쌓기나무의 모양과 같게 그립니다.
앞과 옆에서 본 모양: 각 방향에서 각 줄의 가장 높은 층을 생각하여 그립니다.

사고력 종합 평가

정답과 풀이 8쪽

1 그림에서 찾을 수 있는 원은 모두 몇 개일까요?

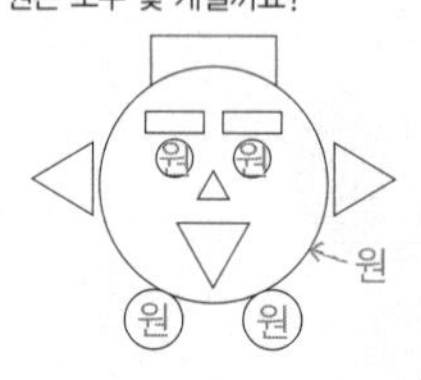

(5개)

✤ 어느 쪽에서 보아도 똑같이 동그란 모양의 도형을 찾으면 모두 5개입니다.

2 오른쪽 모양은 원을 똑같이 2개로 나눈 것 중의 하나를 나타낸 것입니다. 이 모양을 겹치지 않게 이어 붙여 원 6개를 만들려면 모두 몇 개가 필요할까요?

(12개)

✤ 원 1개를 만들려면 주어진 모양 2개가 필요하므로 원 6개를 만들려면 모두 $2+2+2+2+2+2=12$(개)가 필요합니다.

3 네 도형의 변의 수의 합은 모두 몇 개일까요?

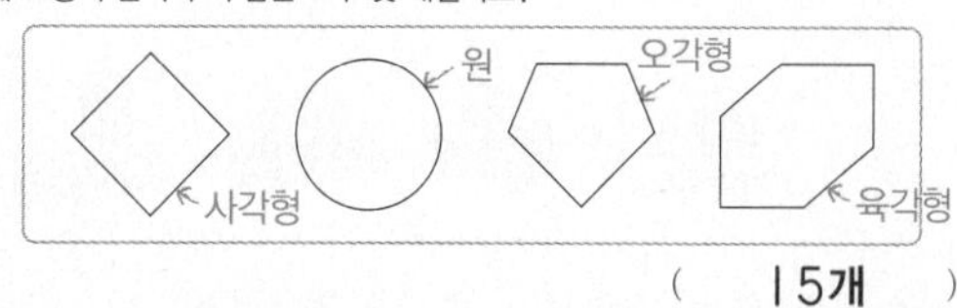

(15개)

✤ 사각형의 변의 수: 4, 원의 변의 수: 0, 오각형의 변의 수: 5, 육각형의 변의 수: 6
➔ $4+0+5+6=15$(개)

4 꼭짓점의 수가 많은 도형부터 차례로 기호를 써 보세요.

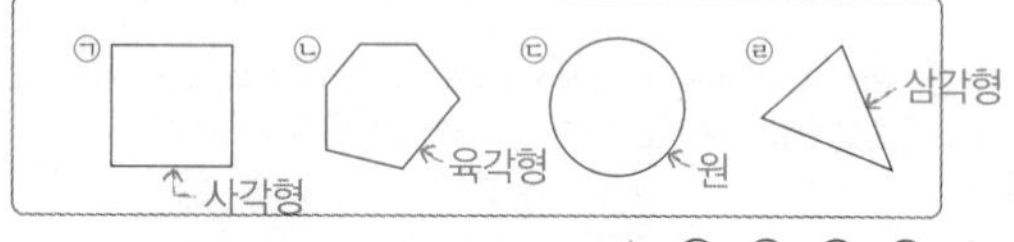

(㉡, ㉠, ㉣, ㉢)

✤ 꼭짓점의 수를 구하면 ㉠ 4개 ㉡ 6개 ㉢ 0개 ㉣ 3개입니다.
➔ ㉡>㉠>㉣>㉢

5 종이 위의 세 점을 꼭짓점으로 하는 삼각형을 그리려고 합니다. 그린 선을 따라 자르면 어떤 도형이 몇 개 만들어지는지 써 보세요.

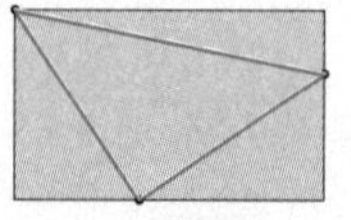

(삼각형), (4개)

✤ 삼각형을 그린 선을 따라 자르면 변이 3개인 삼각형이 4개 만들어집니다.

6 삼각형 ㉮와 삼각형 ㉯의 꼭짓점도 되고, 사각형 ㉰의 꼭짓점도 되는 점을 찾아 번호를 써 보세요.

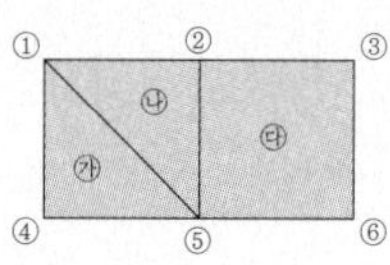

(⑤)

✤ 세 도형 ㉮, ㉯, ㉰의 꼭짓점이 모두 만나는 점을 찾습니다.

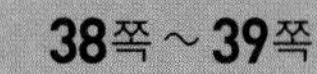

사고력 종합 평가

정답과 풀이 9쪽

7 색종이를 그림과 같이 반으로 접은 다음 점선을 따라 잘랐습니다. 펼쳤을 때 ㉮ 부분에 만들어지는 도형의 이름을 써 보세요.

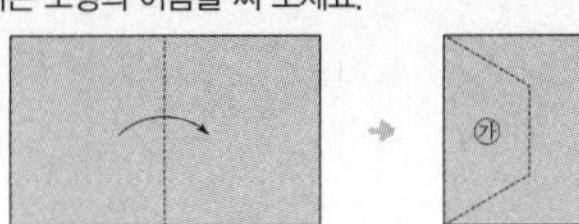

(육각형)

✤ 점선을 따라 자른 후 펼치면 오른쪽과 같이 변이 6개인 육각형이 만들어집니다.

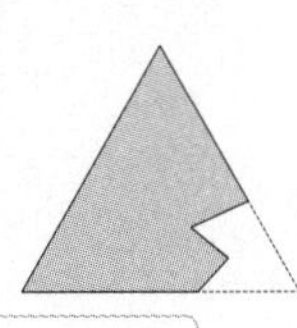

8 종이를 점선을 따라 자르면 삼각형은 모두 몇 개 만들어질까요?

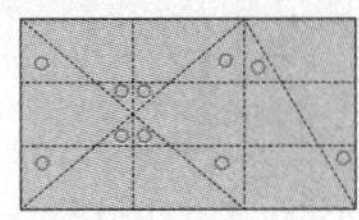

(10개)

✤ 종이를 점선을 따라 자르면 삼각형은 모두 10개 만들어집니다.

9 조각을 맞추어 오른쪽과 같은 삼각형을 완성하려고 합니다. 빈 곳에 들어갈 알맞은 조각을 찾아 기호를 써 보세요.

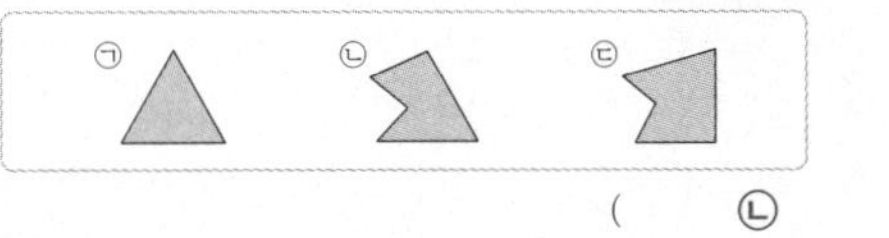

(㉡)

[10~11] 칠교판 일곱 조각을 모두 한 번씩 이용하여 다음 모양을 만들어 보세요.

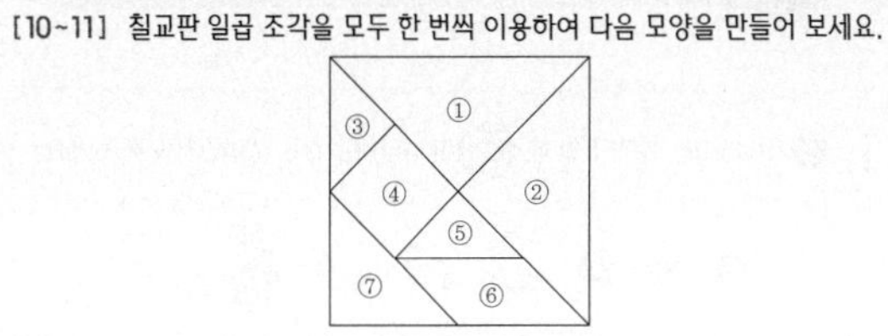

10 예

11 예

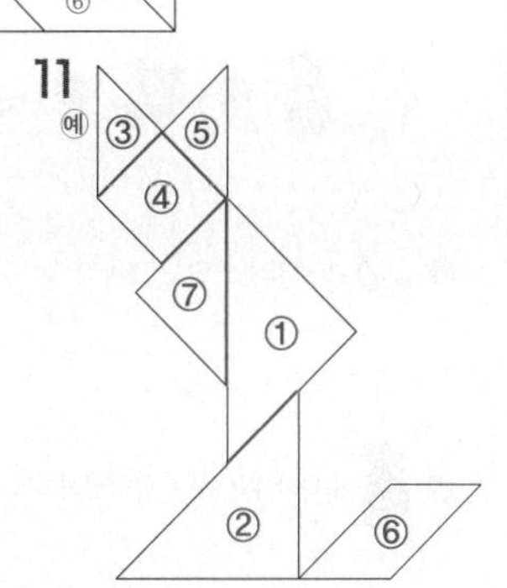

12 쌓기나무를 앞에서 본 모양으로 알맞은 것을 찾아 ○표 하세요.

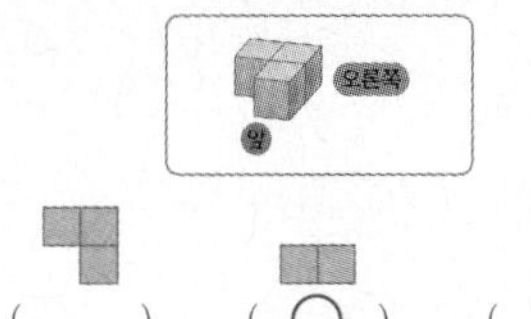

( ) (○) ( )

40쪽

사고력 종합 평가

정답과 풀이 9쪽

13 쌓기나무로 쌓은 모양을 보고 위, 앞, 옆에서 본 모양을 각각 그려 보세요.

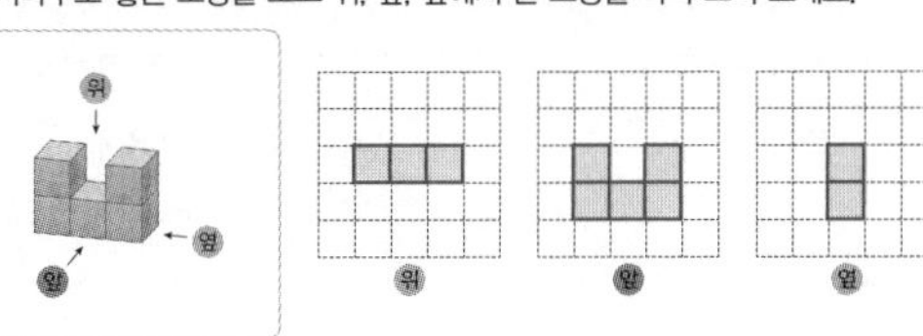

14 세 점을 곧은 선으로 이어서 만들 수 있는 삼각형은 모두 몇 개일까요?

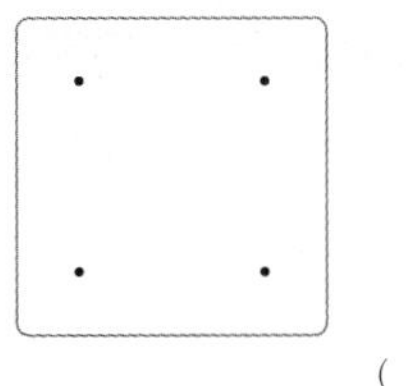

(4개)

✤ → 4개

15 쌓기나무 5개로 만든 모양을 모두 찾아 ○표 하세요.

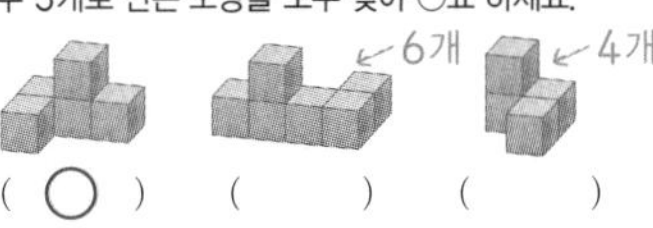

(○) ( ) ( ) (○)

[GO! 매쓰]
여기까지 2단원 내용입니다.
다음부터는 3단원 내용이 시작합니다.

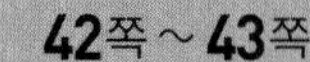

42쪽 ~ 43쪽

정답과 풀이 10쪽

유형 1 나타내는 수 구하기(1)

문제 해결

1 사과가 나타내는 수가 5일 때 감이 나타내는 수는 얼마인지 구해 보세요.

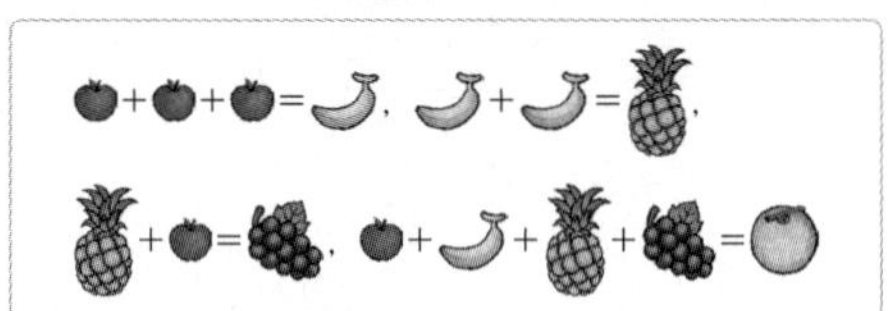

❶ 바나나가 나타내는 수는 얼마일까요?

(15)

✤ 5+5+5=15

❷ 파인애플이 나타내는 수는 얼마일까요?

(30)

✤ 15+15=30

❸ 포도가 나타내는 수는 얼마일까요?

(35)

✤ 30+5=35

❹ 감이 나타내는 수는 얼마일까요?

(85)

✤ 5+15+30+35=85

2 ♡가 나타내는 수가 4일 때 ☆이 나타내는 수는 얼마일까요?

♡ + ♡ + ♡ = △
△ + △ = ○ + 2
○ + △ − ♡ = ☆

(30)

✤ △=4+4+4=12
12+12=○+2, 24=○+2, ○=24−2 ➔ ○=22
☆=○+△−♡=22+12−4=34−4=30

3 ♧가 나타내는 수가 6일 때 △가 나타내는 수는 얼마일까요?

♧ + ♧ + ♧ = □ + 5
□ + □ = ☆
☆ + ♧ + □ = ○
○ + ○ = △ + ♧

(84)

✤ 6+6+6=□+5, 18=□+5, □=18−5 ➔ □=13
13+13=☆ ➔ ☆=26
26+6+13=○ ➔ ○=45
45+45=△+6, 90=△+6, △=90−6 ➔ △=84

3 단원

44쪽 ~ 45쪽

정답과 풀이 10쪽

유형 2 □ 안에 알맞은 수 구하기

문제 해결

1 □를 구하는 식을 쓰고 □ 안에 알맞은 수를 구하려고 합니다. 물음에 답하세요.

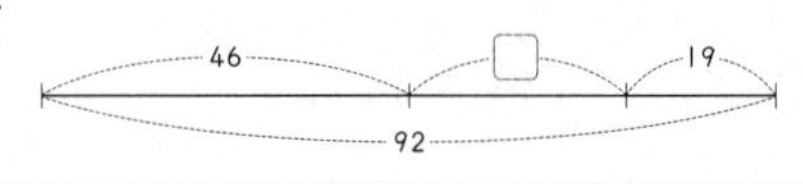

❶ 덧셈식을 뺄셈식으로, 뺄셈식을 덧셈식으로 나타내어 보세요.

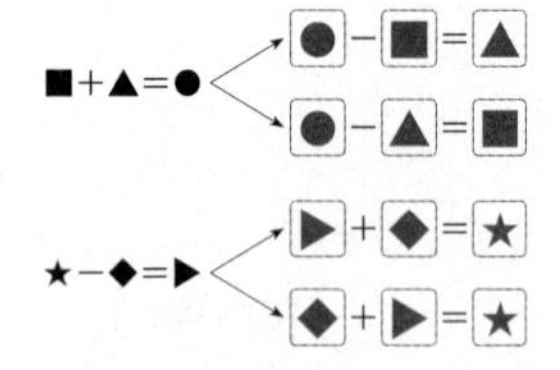

❷ 위 그림에서 □를 구하는 덧셈식을 쓰고 □ 안에 알맞은 수를 구해 보세요.

식 46+□+19=92

답 27

✤ 46+□+19=92, 46+□=92−19, 46+□=73,
73−46=□, □=27

2 □를 구하는 식을 쓰고 □ 안에 알맞은 수를 구해 보세요.

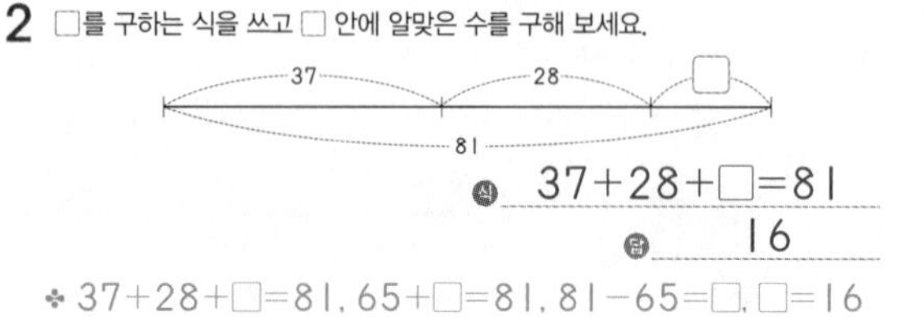

식 37+28+□=81

답 16

✤ 37+28+□=81, 65+□=81, 81−65=□, □=16

3 그림을 보고 겹쳐진 부분에 알맞은 수를 구해 보세요.

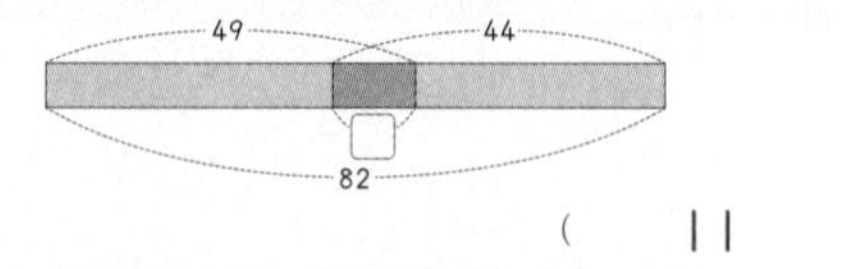

(11)

✤ 49+44−□=82, 93−□=82, □+82=93,
93−82=□, □=11

4 그림을 보고 ㉠과 ㉡에 알맞은 수를 각각 구해 보세요.

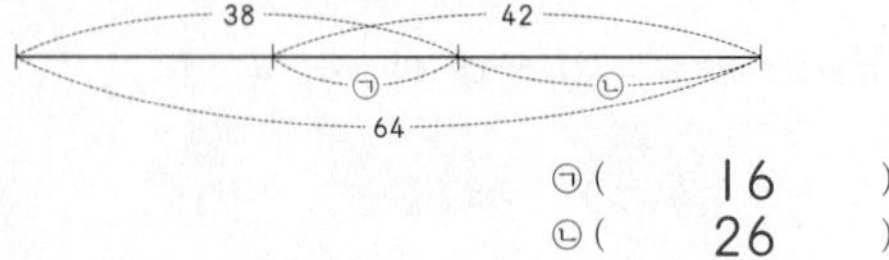

㉠ (16)
㉡ (26)

✤ 38+42−㉠=64, 80−㉠=64, ㉠+64=80,
80−64=㉠, ㉠=16
16+㉡=42, 42−16=㉡, ㉡=26

3 단원

유형 3 식에 맞도록 성냥개비 지우기 (창의·융합)

1 성냥개비를 가지고 보기와 같은 식을 만들었는데 계산이 맞지 않습니다. 계산이 맞도록 수를 나타내는 부분의 성냥개비 한 개를 보기와 같이 ×표로 지워 보세요.

보기

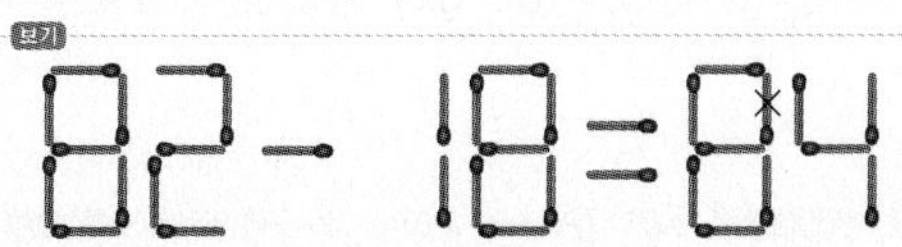

❶ 58+14=70

❷ 91−69=32

2 수 카드를 사용하여 뺄셈식을 만들었습니다. 계산이 맞도록 카드 한 장을 ×표로 지워 보세요.

9 2 − 3 5 = 8 7 (3에 ×표)

3 7 − 2 8 = 1 9 (1에 ×표)

3 성냥개비를 가지고 다음과 같은 식을 만들었는데 식이 맞지 않습니다. 성냥개비 한 개를 옮겨서 식이 맞도록 성냥개비 붙임딱지를 붙여 완성해 보세요. (준비물 붙임딱지)

58+6=67

↓

58+9=67

58+6=64, 59+8=67

유형 4 합이 가장 큰(작은) 덧셈식 만들기 (추론)

1 수 카드를 모두 한 번씩 사용하여 덧셈식의 값이 가장 크게, 가장 작게 되도록 만들려고 합니다. 물음에 답하세요.

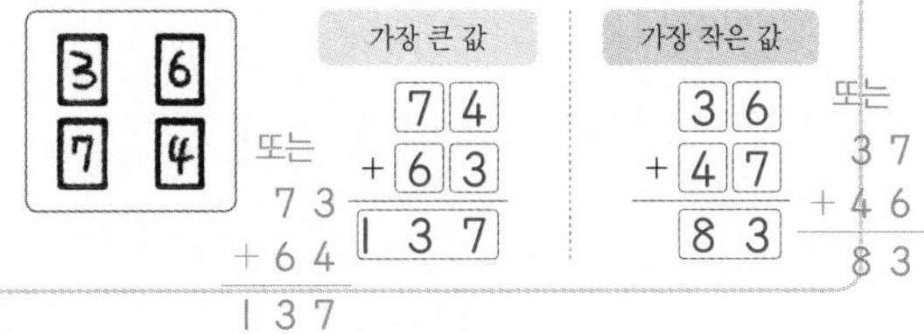

가장 큰 값	가장 작은 값
74+63=137 (또는 73+64=137)	36+47=83 (또는 37+46=83)

❶ 주어진 수 카드의 수의 크기를 비교해 보세요.

3 < 4 < 6 < 7

❷ 두 자리 수끼리의 합이 가장 큰 덧셈식을 만들려고 합니다. □ 안에 알맞은 수를 써넣으세요.

두 자리 수끼리의 합이 가장 큰 덧셈식은 두 자리 수의 십의 자리에 7 와/과 6 을/를 놓고, 일의 자리에 4 와/과 3 을/를 놓습니다.

→ 74+63=137 (또는 73+64=137)

❸ 두 자리 수끼리의 합이 가장 작은 덧셈식을 만들려고 합니다. □ 안에 알맞은 수를 써넣으세요.

두 자리 수끼리의 합이 가장 작은 덧셈식은 두 자리 수의 십의 자리에 3 와/과 4 을/를 놓고, 일의 자리에 6 와/과 7 을/를 놓습니다.

→ 36+47=83 (또는 37+46=83)

2 수 카드 4장을 한 번씩 모두 사용하여 덧셈식의 값이 가장 크게, 가장 작게 되도록 만들고 그 합을 각각 구해 보세요.

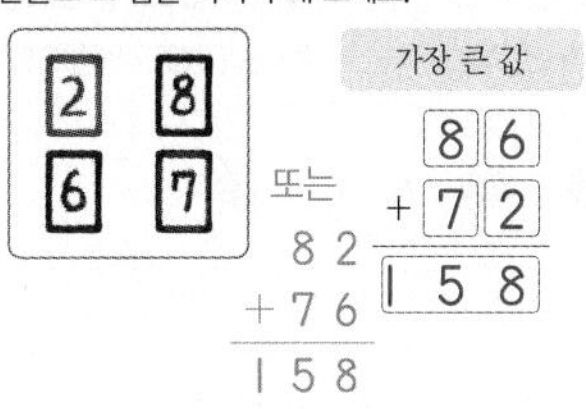

가장 큰 값	가장 작은 값
86+72=158 (또는 82+76=158)	27+68=95 (또는 28+67=95)

3 수 카드 5장 중 4장을 뽑아 한 번씩 사용하여 덧셈식의 값이 가장 크게, 가장 작게 되도록 만들고 그 합을 각각 구해 보세요.

가장 큰 값	가장 작은 값
94+53=147 (또는 93+54=147)	30+45=75 (또는 35+40=75)

4 수 카드 6장 중 2장을 뽑아 한 번씩 사용하여 두 자리 수를 만들려고 합니다. 만들 수 있는 두 자리 수 중 가장 큰 수와 가장 작은 수의 합은 얼마인지 구해 보세요.

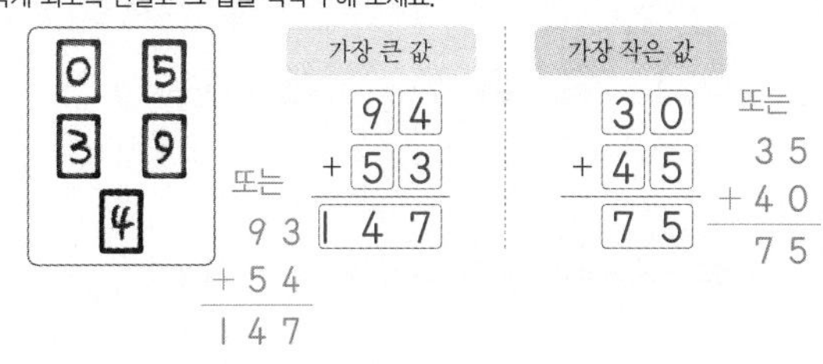

(110)

✤ 9>8>7>5>2>1이므로 가장 큰 두 자리 수: 98, 가장 작은 두 자리 수: 12입니다.

→ 98+12=110

50쪽 ~ 51쪽

정답과 풀이 12쪽

유형 5 카드에 적힌 수 구하기 (문제 해결)

1 정우와 혜미는 수 카드를 2장씩 가지고 있습니다. 정우가 가진 카드에 적힌 두 수의 합은 혜미가 가진 카드에 적힌 두 수의 합과 같습니다. 혜미가 가지고 있는 다른 수 카드에 적힌 수는 얼마인지 구해 보세요.

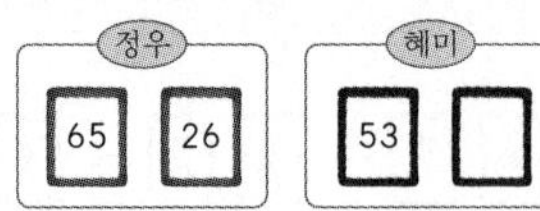

❶ 덧셈식을 보고 뺄셈식으로 나타내어 보세요.

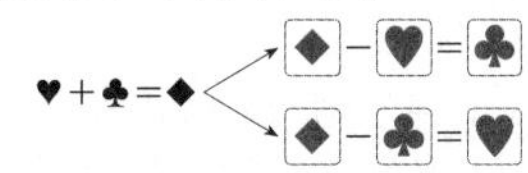

❷ 정우가 가진 수 카드에 적힌 두 수의 합은 얼마일까요?

(91)

✣ 65+26=91

❸ 혜미가 가지고 있는 다른 수 카드에 적힌 수는 얼마인지 □를 사용한 덧셈식을 쓰고 답을 구해 보세요.

식 53+□=91

답 38

✣ 53+□=91 ➔ 91−53=□, □=38

2 □ 안에 알맞은 수를 써넣으세요.

17+28+[36]=35+46

✣ 35+46=81이므로 17+28+□=81입니다.
➔ □=81−17−28=64−28=36

3 한 원 안에 있는 수들의 합이 모두 같습니다. 빈 곳에 알맞은 수를 써넣으세요.

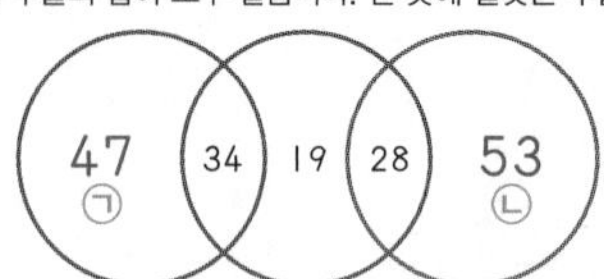

✣ 34+19+28=53+28=81
㉠+34=81이므로 81−34=㉠, ㉠=47입니다.
28+㉡=81이므로 81−28=㉡, ㉡=53입니다.
[다른 풀이] 34가 겹치므로 ㉠=19+28=47입니다.
28이 겹치므로 ㉡=34+19=53입니다.

4 저울의 양쪽에 있는 두 수의 합이 같도록 빈 곳에 알맞은 수를 써넣으세요.

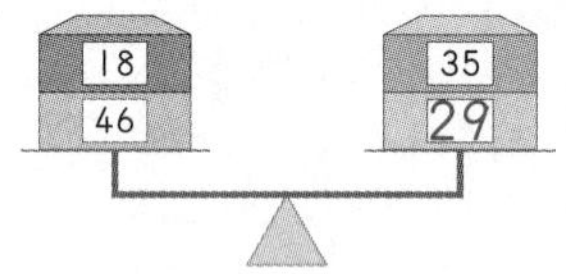

✣ 18+46=64이므로 64=35+□입니다.
➔ 64−35=□, □=29

52쪽 ~ 53쪽

정답과 풀이 12쪽

유형 6 나타내는 수 구하기(2) (문제 해결)

1 보기와 같이 각각의 주어진 식에서 과일이 나타내는 수를 구해 보세요.

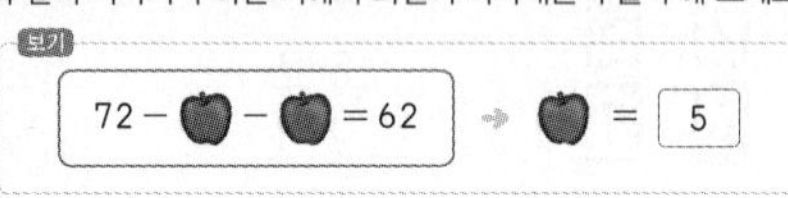

❶ 55 − 멜론 − 멜론 = 35 ➔ 멜론 = [10]

✣ 멜론이 나타내는 수를 ○라 하면 ○를 2번 뺐으므로
○+○=55−35=20입니다. ➔ ○=10

❷ 80 − 딸기 − 딸기 = 56 ➔ 딸기 = [12]

✣ 딸기가 나타내는 수를 △라 하면 △를 2번 뺐으므로
△+△=80−56=24입니다. ➔ △=12

❸ 49 − 바나나 − 바나나 = 27 ➔ 바나나 = [11]

✣ 바나나가 나타내는 수를 ♧라 하면 ♧를 2번 뺐으므로
♧+♧=49−27=22입니다. ➔ ♧=11

❹ 61 − 포도 − 포도 = 43 ➔ 포도 = [9]

✣ 포도가 나타내는 수를 ☆이라 하면 ☆을 2번 뺐으므로
☆+☆=61−43=18입니다. ➔ ☆=9

❺ 37 − 수박 − 수박 = 7 ➔ 수박 = [15]

✣ 수박이 나타내는 수를 ♡라 하면 ♡를 2번 뺐으므로
♡+♡=37−7=30입니다. ➔ ♡=15

2 식이 성립하도록 ○ 안에 + 또는 −를 알맞게 써넣으세요.

(1) 19 (+) 27 (+) 18 = 64

✣ 19+27+18=64 (○)
19+27−18=28 (×)

(2) 39 (+) 46 (−) 27 = 58

✣ 39+46+27=112 (×)
39+46−27=58 (○)

(3) 55 (−) 37 (+) 18 = 36

✣ 55+37+18=110 (×)　55+37−18=74 (×)
55−37+18=36 (○)　55−37−18=0 (×)

(4) 72 (−) 48 (+) 15 = 39

✣ 72+48+15=135 (×)　72+48−15=105 (×)
72−48+15=39 (○)　72−48−15=9 (×)

(5) 60 (+) 35 (−) 24 = 71

✣ 60+35+24=119 (×)　60+35−24=71 (○)
60−35+24=49 (×)　60−35−24=1 (×)

(6) 91 (−) 17 (−) 47 = 27

✣ 91+17+47=155 (×)　91+17−47=61 (×)
91−17+47=121 (×)　91−17−47=27 (○)

사고력 종합 평가

1 ●가 나타내는 수가 3일 때 ♡가 나타내는 수는 얼마일까요?

●+●+●+●=▲
▲+●=☆
☆+☆=♡+7

(23)

✤ 3+3+3+3=▲ ➔ ▲=12
12+3=☆ ➔ ☆=15
15+15=♡+7, 30=♡+7, 30−7=♡ ➔ ♡=23

2 오른쪽 덧셈식에서 같은 모양은 같은 한 자리 수를 나타냅니다. ●, ☆, ▲에 알맞은 수를 각각 구해 보세요.

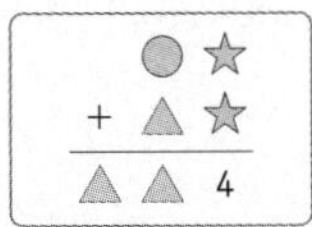

●(9), ☆(7), ▲(1)

✤ ☆+☆=4가 되려면 ☆=2 또는 7이어야 합니다.
백의 자리 ▲는 받아올림한 수이므로 ▲=1입니다.
☆=2일 때 ●를 구할 수 없고 ☆=7일 때 ●=9입니다.

3 수직선을 보고 □ 안에 알맞은 수를 구해 보세요.

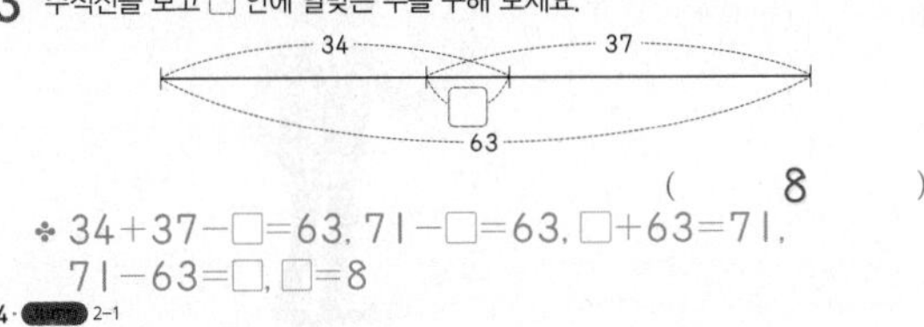

(8)

✤ 34+37−□=63, 71−□=63, □+63=71,
71−63=□, □=8

4 성냥개비를 사용하여 식을 만들었습니다. 계산이 맞도록 수를 나타내는 부분의 성냥개비 한 개를 ×로 지워 보세요.

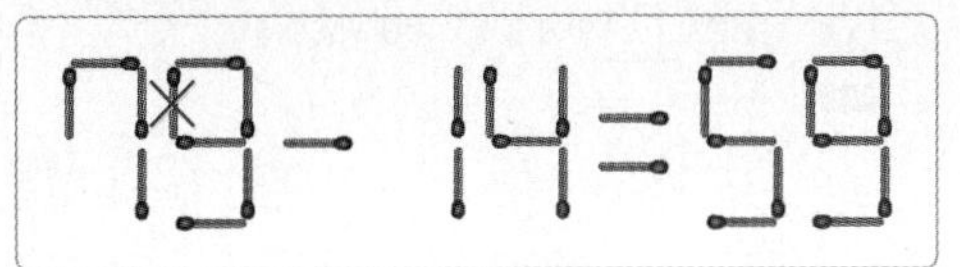

5 그림과 같이 72를 넣으면 45가 나오는 상자가 있습니다. 이 상자에 80을 넣으면 얼마가 나올까요?

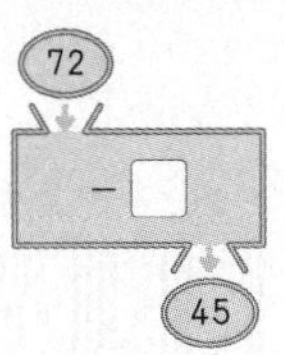

(53)

✤ 72−□=45이므로 □+45=72, 72−45=□,
□=27입니다. ➔ 80−27=53

6 풍선 13개 중 몇 개의 풍선이 터졌습니다. 남은 풍선이 7개일 때 터진 풍선은 몇 개인지 □를 사용하여 식으로 나타내고 답을 구해 보세요.

식 13−□=7
답 6개

✤ 터진 풍선의 수를 □로 하여 뺄셈식을 만들면 13−□=7입니다. ➔ □+7=13, 13−7=□, □=6
따라서 터진 풍선은 6개입니다.

사고력 종합 평가

7 수 카드를 모두 한 번씩 사용하여 덧셈식의 값이 가장 크게, 가장 작게 되도록 식을 완성하고 그 합을 각각 구해 보세요.

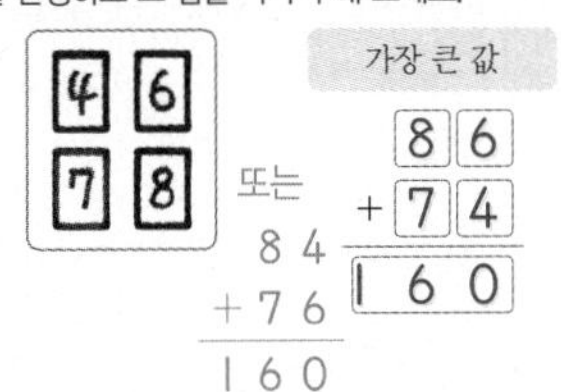

가장 큰 값: 86+74=160 또는 84+76=160

가장 작은 값: 48+67=115 또는 47+68=115

8 수 카드 4장을 한 번씩 모두 사용하여 차가 가장 작은 뺄셈식을 만들려고 합니다. 두 수의 차가 가장 작은 뺄셈식을 완성하고 계산해 보세요.

91−83=8

✤ 두 자리 수의 차가 가장 작으려면 십의 자리 수의 차가 작아야 하므로 두 자리 수를 각각 9□, 8□로 만들어야 합니다.
93−81=12, 91−83=8이므로 두 수의 차가 가장 작은 뺄셈식은 91−83=8입니다.

9 한 원 안에 있는 수들의 합이 모두 같습니다. 빈 곳에 알맞은 수를 써넣으세요.

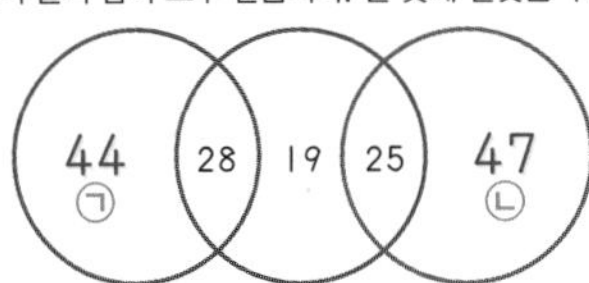

✤ 28+19+25=47+25=72
㉠+28=72이므로 72−28=㉠, ㉠=44입니다.
25+㉡=72이므로 72−25=㉡, ㉡=47입니다.
[다른 풀이] 28이 겹치므로 ㉠=19+25=44입니다.
25가 겹치므로 ㉡=28+19=47입니다.

10 주어진 식을 보고 ♡와 ☆에 알맞은 수를 각각 구해 보세요.

80 − ♡ − ♡ = 54 → ♡ = 13

62 − ☆ − ☆ = 48 → ☆ = 7

✤ • ♡를 2번 뺐으므로 ♡+♡=80−54=26입니다.
➔ ♡=13
• ☆를 2번 뺐으므로 ☆+☆=62−48=14입니다.
➔ ☆=7

11 식이 성립하도록 ○ 안에 + 또는 −를 알맞게 써넣으세요.

62 ㊀ 27 ㊉ 15 = 50

✤ • 62+27+15=104 (×)
• 62+27−15=74 (×)
• 62−27+15=50 (○)
• 62−27−15=20 (×)

12 가영이가 가진 카드에 적힌 두 수의 합은 민재가 가진 카드에 적힌 두 수의 합과 같습니다. 가영이가 가진 다른 수 카드에 적힌 수는 얼마일까요?

가영
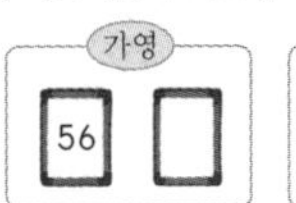

민재
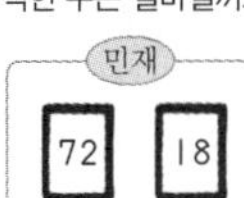

(34)

✤ 민재가 가진 카드에 적힌 두 수의 합은 72+18=90입니다.
가영이가 가진 다른 수 카드에 적힌 수를 □라 하면
56+□=90, 90−56=□, □=34입니다.

58쪽

사고력 종합 평가

정답과 풀이 14쪽

13 보기는 같은 선 위의 양쪽 끝에 있는 두 수의 차를 가운데에 쓴 것입니다. 보기와 같은 방법으로 □ 안에 알맞은 수를 써넣으세요.

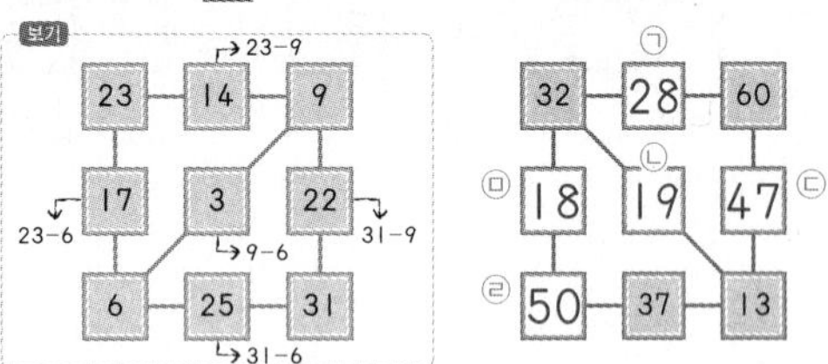

✤ 60−32=㉠, ㉠=28 / 32−13=㉡, ㉡=19 / 60−13=㉢, ㉢=47 / ㉣−13=37, 13+37=㉣, ㉣=50 / 50−32=㉤, ㉤=18

14 다음은 고대 이집트 사람들이 수를 나타낼 때 사용하던 기호입니다.

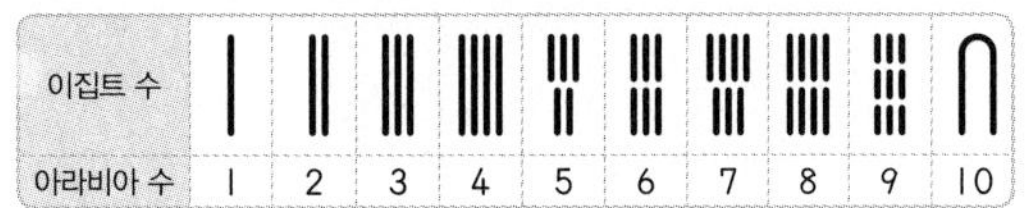

이집트 수
아라비아 수 1 2 3 4 5 6 7 8 9 10

"∩|| → 12"와 같이 수를 오른쪽에서 왼쪽으로 썼습니다. 아래의 계산에서 □ 안에 알맞은 수를 아라비아 수로 써 보세요.

(38)

✤ 47+25−□=34이므로 72−□=34, □+34=72, 72−34=□, □=38입니다.

[GO! 매쓰]
여기까지 3단원 내용입니다.
다음부터는 4단원 내용이
시작합니다.

60쪽 ~ 61쪽

유형 ① 자로 길이 재기 문제 해결

정답과 풀이 14쪽

1 2 cm 길이로 점을 연결하여 고양이가 있는 곳에서 집까지 선으로 이어 보세요.

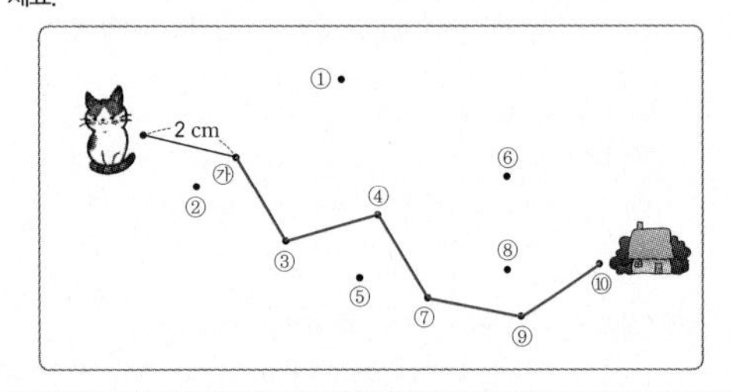

❶ ㉮부터 시작하여 2 cm가 되는 점을 찾아 차례로 번호를 써 보세요.

㉮ → (③) → (④) → (⑦) → (⑨) → ⑩

✤ 자를 이용하여 길이가 2 cm 떨어진 점을 차례로 찾습니다.

❷ 고양이가 있는 곳에서 집까지 2 cm가 되는 점을 차례로 선으로 이어 보세요.

✤ 2 cm 떨어진 점을 차례로 선을 이어 봅니다.

[2~3] 주어진 길이로 점을 연결하여 각 동물이 있는 곳에서 먹이가 있는 곳까지 선으로 이어 보세요.

2

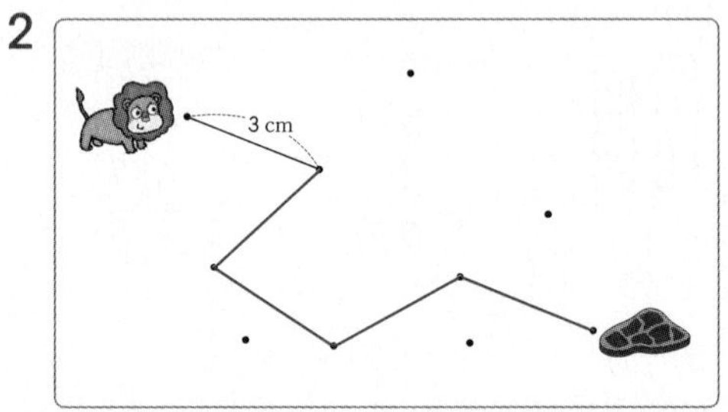

3

4 cm

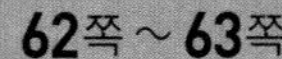

유형 ② l cm를 이용하여 길이 구하기 (문제 해결)

1 그림에서 가장 작은 사각형의 네 변의 길이는 모두 같고, 한 변의 길이는 l cm입니다. 빨간색 선의 길이와 네 변의 길이의 합이 같은 사각형의 기호를 써 보세요.

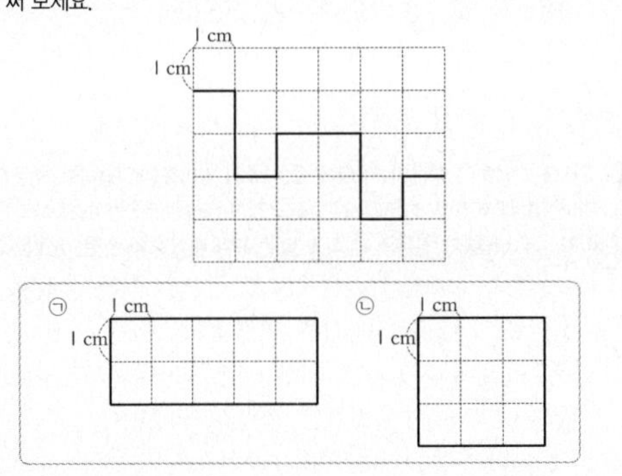

❶ 빨간색 선의 길이는 l cm가 몇 번일까요?

(l2번)

❷ 빨간색 선의 길이는 몇 cm일까요?

(l2 cm)

❖ 빨간색 선의 길이는 l cm가 l2번이므로 l2 cm입니다.

❸ 빨간색 선의 길이와 네 변의 길이의 합이 같은 사각형의 기호를 써 보세요.

(㉡)

❖ (빨간색 선의 길이의 합)= l2 cm
㉠은 네 변의 길이의 합이 l cm가 l4번이므로 l4 cm이고,
㉡은 네 변의 길이의 합이 l cm가 l2번이므로 l2 cm입니다.

정답과 풀이 15쪽

2 그림에서 가장 작은 사각형의 네 변의 길이는 모두 같고, 한 변의 길이는 l cm입니다. 굵은 선의 길이는 몇 cm일까요?

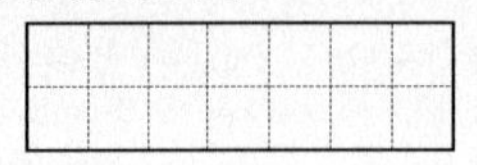

(l8 cm)

❖ 굵은 선의 길이는 l cm가 l8번이므로 l8 cm입니다.

3 그림에서 가장 작은 사각형의 네 변의 길이는 모두 같고, 한 변의 길이는 l cm입니다. 작은 사각형의 변을 따라 갈 때 ㉮에서 ㉯까지 가는 가장 가까운 길은 몇 cm일까요?

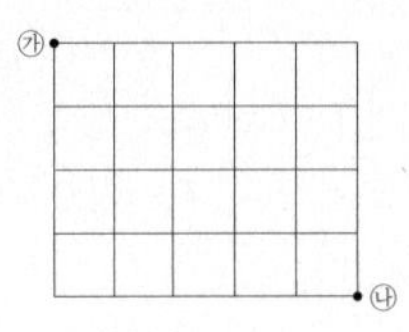

(9 cm)

❖ ㉮에서 ㉯까지 가는 가장 가까운 길은 가로로 5칸, 세로로 4칸 가는 길입니다.
➔ 5+4=9(칸)이고 한 칸이 l cm이므로 ㉮에서 ㉯까지 가는 가장 가까운 길은 9 cm입니다.

예 (그림)

4 단원

64쪽 ~ 65쪽

유형 ③ 단위길이를 이용하여 길이 구하기 (문제 해결)

1 다음과 같이 규칙에 따라 선을 그었습니다. 다섯째 번에 그어야 할 선의 길이는 몇 cm인지 구해 보세요.

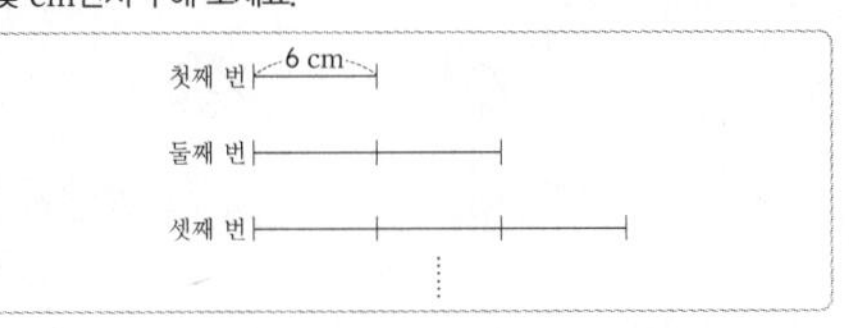

❶ 넷째 번 선을 그어 보세요.

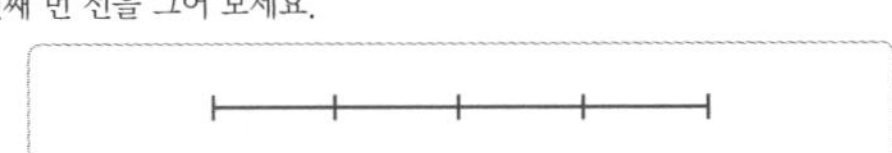

❷ 다섯째 번 선을 그어 보세요.

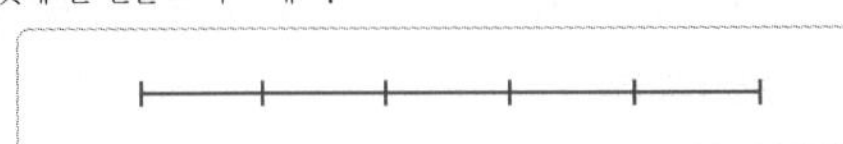

❸ 다섯째 번에 그어야 할 선의 길이는 몇 cm일까요?

(30 cm)

❖ 6 cm가 다섯 번 있으므로 6+6+6+6+6=30 (cm)입니다.

정답과 풀이 15쪽

2 막대 ㉮의 길이가 7 cm라면 막대 ㉯의 길이는 몇 cm일까요?

(2l cm)

❖ 막대 ㉯의 길이는 막대 ㉮의 길이의 3배입니다.
따라서 막대 ㉯의 길이는 7+7+7=2l (cm)입니다.

3 ㉮의 길이가 l0 cm라면 ㉯의 길이는 몇 cm일까요?

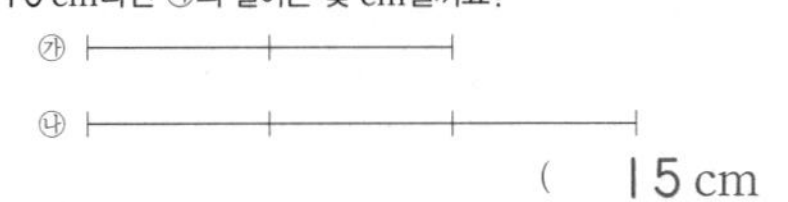

(l5 cm)

❖ ㉮의 길이에서 2칸의 길이가 l0 cm이므로 한 칸의 길이는 5 cm입니다. 따라서 ㉯의 길이는 3칸의 길이와 같으므로 5+5+5=l5 (cm)입니다.

4 색 테이프 ㉮의 길이가 9 cm라면 색 테이프 ㉯의 길이는 몇 cm일까요?

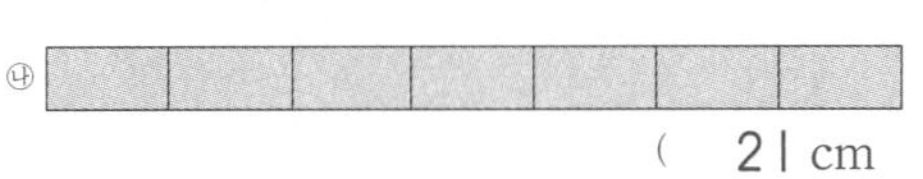

(2l cm)

❖ 색 테이프 ㉮는 색 테이프 ㉯의 3칸의 길이와 같습니다.
색 테이프 ㉯의 한 칸의 길이는 3 cm이므로 색 테이프 ㉯의 길이는 3+3+3+3+3+3+3=2l (cm)입니다.

정답과 풀이 16쪽

유형 4 단위길이로 잰 길이 구하기 추론

1 동혁이의 한 뼘의 길이는 11 cm입니다. 한 뼘의 길이를 이용하여 책상과 의자의 높이를 재었을 때 두 높이의 차는 몇 cm인지 구해 보세요.

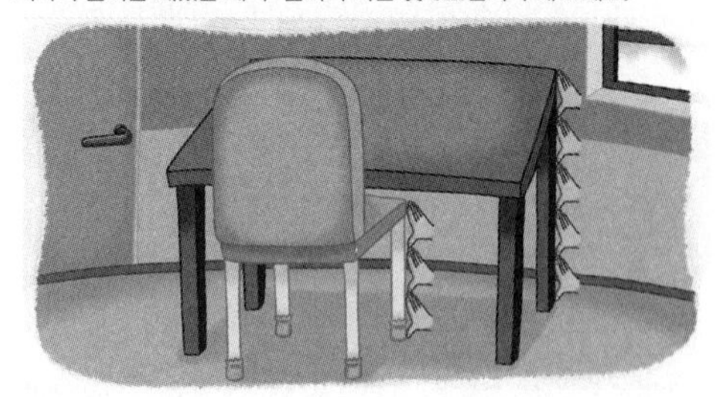

❶ 책상의 높이는 몇 cm인지 구해 보세요.

(55 cm)

✤ 한 뼘의 길이가 11 cm이고 잰 횟수가 5번이므로 책상의 높이는 $11+11+11+11+11=55$ (cm)입니다.

❷ 의자의 높이는 몇 cm인지 구해 보세요.

(33 cm)

✤ 한 뼘의 길이가 11 cm이고 잰 횟수가 3번이므로 의자의 높이는 $11+11+11=33$ (cm)입니다.

❸ 책상과 의자의 높이의 차는 몇 cm인지 구해 보세요.

(22 cm)

✤ $55-33=22$ (cm)

2 색연필을 이용하여 칠판의 짧은 쪽의 길이를 재어 보니 색연필로 7번이었습니다. 색연필의 길이가 8 cm일 때 칠판의 짧은 쪽의 길이는 몇 cm일까요?

(56 cm)

✤ (칠판의 짧은 쪽의 길이)
$=8+8+8+8+8+8+8=56$ (cm)

3 막대를 이용하여 창문의 긴 쪽과 짧은 쪽의 길이를 재었습니다. 창문의 긴 쪽의 길이는 막대로 5번, 창문의 짧은 쪽의 길이는 막대로 3번이었습니다. 막대의 길이가 15 cm일 때 창문의 긴 쪽과 짧은 쪽의 길이의 차는 몇 cm일까요?

(30 cm)

✤ (창문의 긴 쪽의 길이)$=15+15+15+15+15=75$ (cm)
(창문의 짧은 쪽의 길이)$=15+15+15=45$ (cm)
따라서 창문의 긴 쪽과 짧은 쪽의 길이의 차는
$75-45=30$ (cm)입니다.

4 영주와 가은이가 뼘을 이용하여 각자의 책상의 긴 쪽의 길이를 재었더니 다음과 같았습니다. 책상의 긴 쪽의 길이가 더 긴 사람은 누구일까요?

이름	영주	가은
횟수	3뼘	4뼘
한 뼘의 길이	14 cm	12 cm

(가은)

✤ (영주의 책상의 긴 쪽의 길이)$=14+14+14=42$ (cm)
(가은이의 책상의 긴 쪽의 길이)$=12+12+12+12$
$=48$ (cm)
따라서 $42<48$이므로 가은이의 책상의 긴 쪽의 길이가 더 깁니다.

정답과 풀이 16쪽

유형 5 여러 가지 단위로 잰 길이 구하기 창의·융합

1 그림과 같이 7개의 막대를 쌓았습니다. ㉠과 ㉡ 막대의 길이의 합은 몇 cm일까요?

㉠ | 12 cm
6 cm | 9 cm | 8 cm
14 cm | ㉡
㉮

❶ ㉮의 길이는 몇 cm일까요?

(23 cm)

✤ $6+9+8=23$ (cm)

❷ ㉠과 ㉡ 막대의 길이는 각각 몇 cm일까요?

㉠ 막대 (11 cm)
㉡ 막대 (9 cm)

✤ (㉠ 막대의 길이)$=23-12=11$ (cm)
(㉡ 막대의 길이)$=23-14=9$ (cm)

❸ ㉠과 ㉡ 막대의 길이의 합은 몇 cm일까요?

(20 cm)

✤ ㉠ 막대: 11 cm, ㉡ 막대: 9 cm
➔ $11+9=20$ (cm)

2 세형이와 다영이가 각각 가지고 있는 색 테이프로 막대의 길이를 재었습니다. 세형이와 다영이가 잰 막대의 길이의 합은 몇 cm일까요?

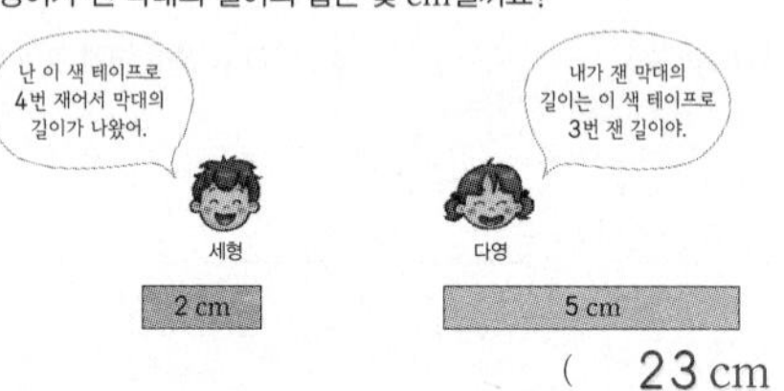

난 이 색 테이프로 4번 재어서 막대의 길이가 나왔어.
내가 잰 막대의 길이는 이 색 테이프로 3번 잰 길이야.
세형
다영
2 cm
5 cm

(23 cm)

✤ (세형이가 잰 막대의 길이)$=2+2+2+2=8$ (cm)
(다영이가 잰 막대의 길이)$=5+5+5=15$ (cm)
➔ $8+15=23$ (cm)

3 재민이는 밧줄의 길이를 여러 가지 단위로 재어 보고 있습니다. 밧줄의 길이는 몇 cm일까요?

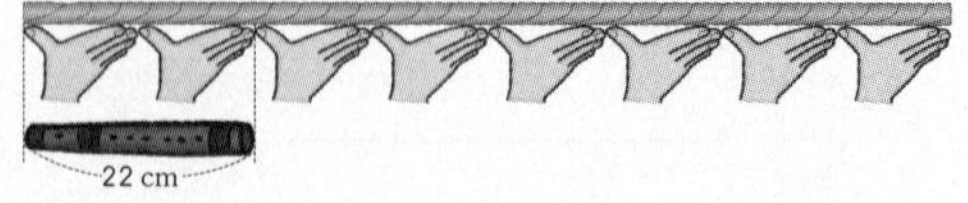

(88 cm)

✤ 밧줄의 길이는 뼘으로 8번이고 악기의 길이는 뼘으로 2번입니다.
따라서 밧줄의 길이는 악기로 4번이므로
$22+22+22+22=88$ (cm)입니다.

유형 6 물건의 길이 구하기

문제 해결

1 길이가 각각 17 cm, 19 cm인 두 색 테이프를 그림과 같이 겹치게 이었습니다. 클립의 길이는 몇 cm인지 구해 보세요.

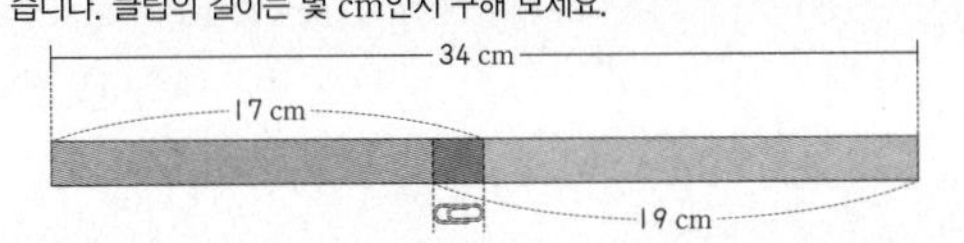

❶ □ 안에 알맞은 말을 써넣으세요.

두 색 테이프가 겹치는 부분의 길이는 **클립** 의 길이와 같습니다.

❷ 두 색 테이프의 길이의 합은 몇 cm일까요?

(36 cm)

✤ 두 색 테이프의 길이가 각각 17 cm, 19 cm이므로 17+19=36 (cm)입니다.

❸ 두 색 테이프를 겹치게 이은 전체의 길이는 몇 cm일까요?

(34 cm)

❹ 클립의 길이는 몇 cm일까요?

(2 cm)

✤ (클립의 길이)=(두 색 테이프의 길이의 합)
−(두 색 테이프를 겹치게 이은 전체의 길이)
=36−34=2 (cm)

2 그림과 같이 길이가 다른 세 가지 색 테이프가 있습니다. 세 가지 색 테이프를 겹치지 않게 이어 붙이면 모두 몇 cm가 될까요?

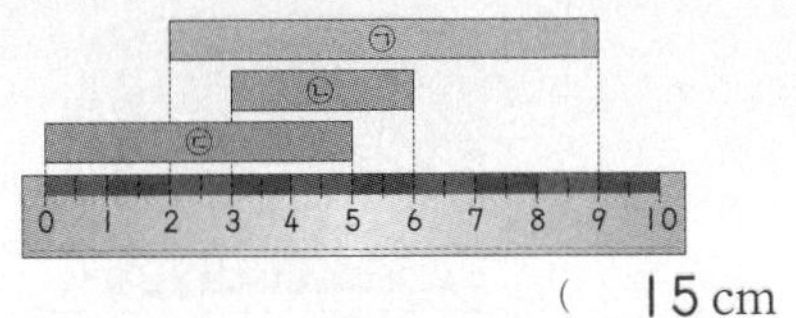

(15 cm)

✤ ㉠은 2부터 9까지 1 cm가 7번이므로 7 cm,
㉡은 3부터 6까지 1 cm가 3번이므로 3 cm,
㉢은 1 cm가 5번이므로 5 cm입니다.
➔ 7+3+5=15 (cm)

3 길이가 48 cm인 막대를 그림과 같이 세 도막으로 잘랐습니다. 가장 긴 막대의 길이는 몇 cm일까요?

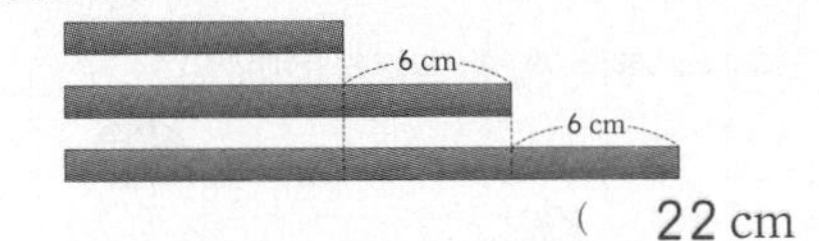

(22 cm)

✤ 가장 짧은 막대의 길이를 □cm로 하여 그림과 같이 나타내어 봅니다.

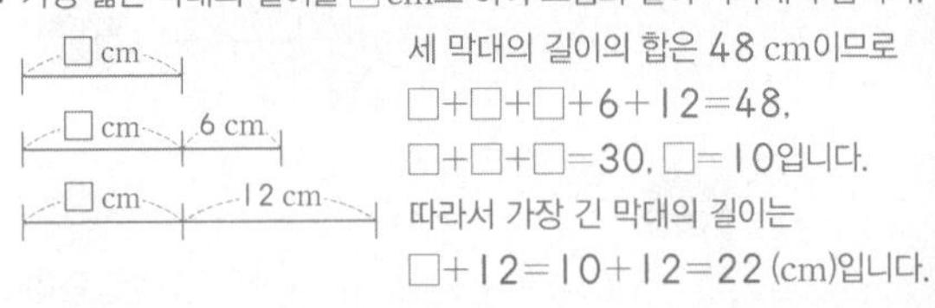

세 막대의 길이의 합은 48 cm이므로
□+□+□+6+12=48,
□+□+□=30, □=10입니다.
따라서 가장 긴 막대의 길이는
□+12=10+12=22 (cm)입니다.

4 단원

사고력 종합 평가

1 그림과 같이 6개의 막대를 쌓았습니다. ㉠과 ㉡ 막대의 길이의 합은 몇 cm일까요?

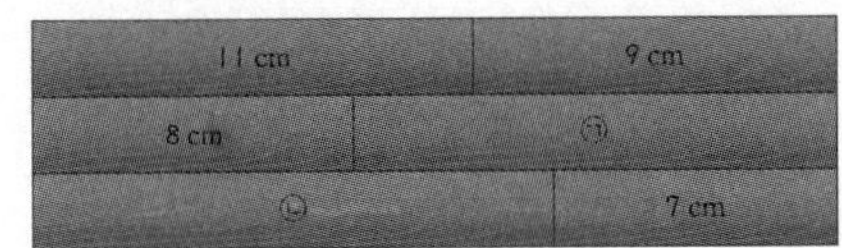

(25 cm)

✤ 11+9=20 (cm)
(㉠ 막대의 길이)=20−8=12 (cm)
(㉡ 막대의 길이)=20−7=13 (cm)
➔ 12+13=25 (cm)

2 종이테이프의 길이를 연필, 못을 이용하여 각각 잰 것입니다. 연필 한 자루의 길이가 8 cm일 때 못 한 개의 길이는 몇 cm일까요?

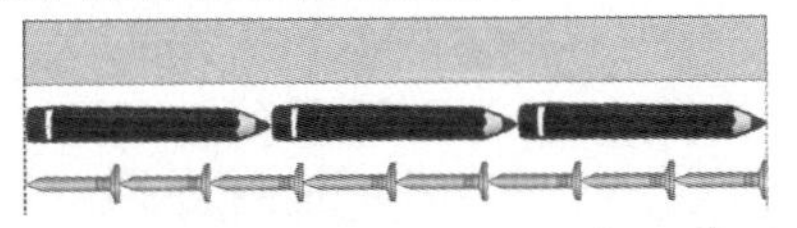

(3 cm)

✤ (종이테이프 전체의 길이)=8+8+8=24 (cm)
➔ 못 한 개의 길이를 □cm라 하면
□+□+□+□+□+□+□+□=24이므로 □=3입니다.

3 그림에서 가장 작은 사각형의 네 변의 길이는 모두 같고, 한 변의 길이는 2 cm입니다. 작은 사각형의 변을 따라 갈 때 ㉮에서 ㉯까지 가는 가장 가까운 길은 몇 cm일까요?

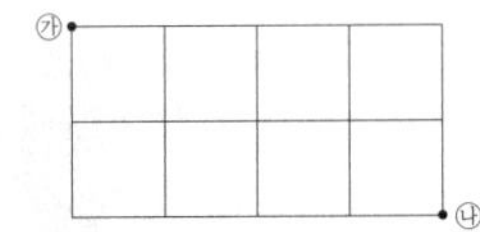

(12 cm)

✤ 오른쪽으로 4칸, 아래쪽으로 2칸 가는 것이 ㉮에서 ㉯까지 가는 가장 가까운 길이므로 모두 6칸을 가야 합니다.
따라서 ㉮에서 ㉯까지 가는 가장 가까운 길은
2+2+2+2+2+2=12 (cm)입니다.

4 그림에서 가장 작은 사각형의 네 변의 길이는 모두 같고, 한 변의 길이는 1 cm입니다. 굵은 선의 길이는 몇 cm일까요?

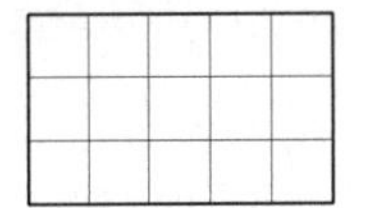

(16 cm)

✤ 굵은 선의 길이는 1 cm가 16번이므로 16 cm입니다.

5 그림에서 가장 작은 삼각형의 세 변의 길이는 모두 같고, 한 변의 길이는 5 cm입니다. 빨간 선의 길이는 몇 cm일까요?

(25 cm)

✤ 빨간 선의 길이는 5 cm가 5번이므로
5+5+5+5+5=25 (cm)입니다.

6 규칙에 따라 지우개를 놓았습니다. 일곱째 번에 놓아야 할 지우개 전체의 길이는 몇 cm일까요?

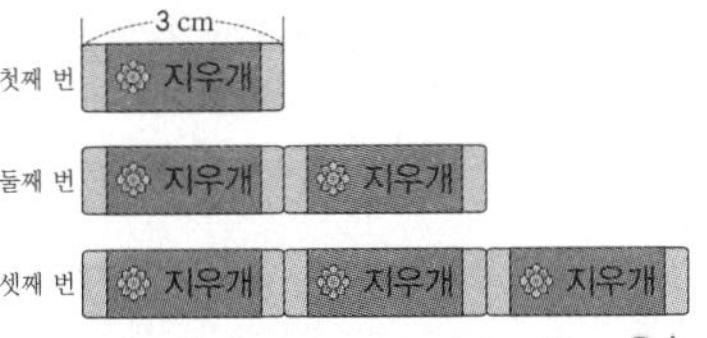

(21 cm)

✤ 첫째 번은 3 cm, 둘째 번은 3+3=6 (cm),
셋째 번은 3+3+3=9 (cm)이므로
일곱째 번은 지우개 7개를 놓은 길이와 같습니다.
➔ 3+3+3+3+3+3+3=21 (cm)

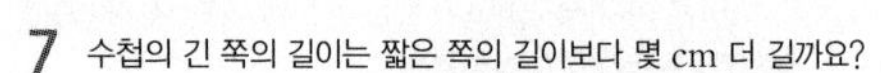

7 수첩의 긴 쪽의 길이는 짧은 쪽의 길이보다 몇 cm 더 길까요?

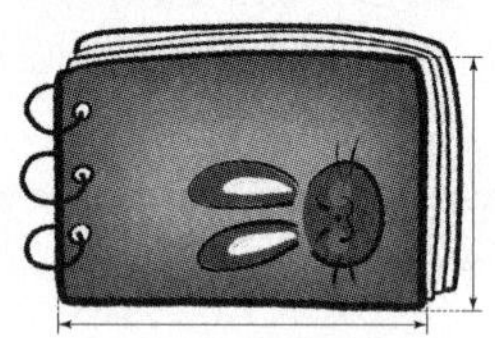

(2 cm)

✤ 수첩의 긴 쪽과 짧은 쪽의 길이를 각각 자로 재면 긴 쪽의 길이는 6 cm, 짧은 쪽의 길이는 4 cm입니다.
따라서 수첩의 긴 쪽의 길이는 짧은 쪽의 길이보다 $6-4=2$ (cm) 더 깁니다.

8 그림은 네 변의 길이가 모두 1 cm인 사각형 3개를 이어 만든 도형입니다. ㉮에서 출발하여 선을 따라 4 cm를 움직여 ㉯에 도착하는 방법은 모두 몇 가지일까요?

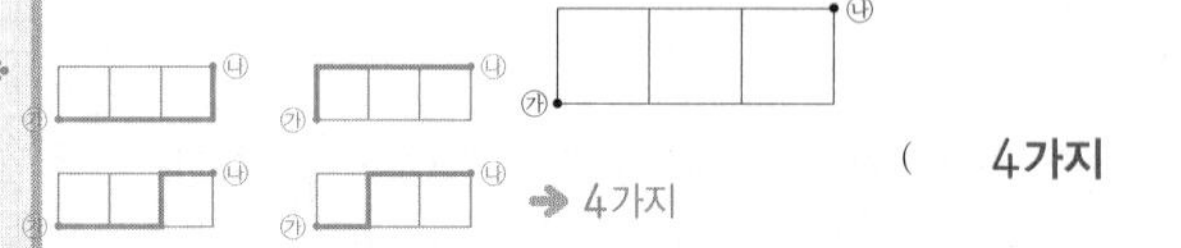

(4가지)

✤ ➔ 4가지

9 벌과 4 cm 거리에 있는 꽃은 모두 몇 송이일까요?

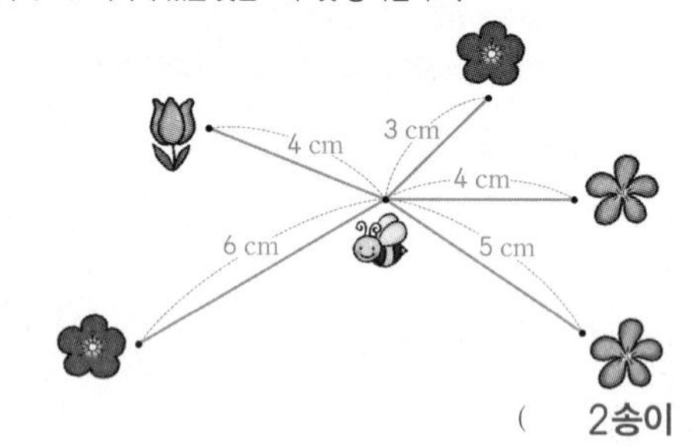

(2송이)

10 길이가 짧은 것부터 차례로 기호를 써 보세요.

- ㉠은 9 cm입니다.
- ㉡은 2 cm로 4번 잰 길이와 같습니다.
- ㉢은 1 cm로 7번 잰 길이와 같습니다.

(㉢, ㉡, ㉠)

✤ ㉡$=2+2+2+2=8$ (cm)
㉢은 1 cm로 7번 잰 길이와 같으므로 7 cm입니다.
따라서 $7<8<9$이므로 길이가 짧은 것부터 차례로 기호를 쓰면 ㉢, ㉡, ㉠입니다.

11 지우개의 길이보다 더 긴 색 테이프를 찾아 기호를 써 보세요.

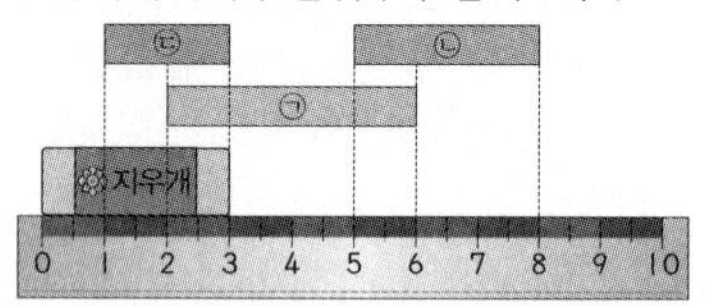

(㉠)

✤ 지우개의 길이: 1 cm가 3번인 길이 ➔ 3 cm
• 색 테이프 ㉠의 길이: 2부터 6까지 1 cm가 4번인 길이 ➔ 4 cm
• 색 테이프 ㉡의 길이: 5부터 8까지 1 cm가 3번인 길이 ➔ 3 cm
• 색 테이프 ㉢의 길이: 1부터 3까지 1 cm가 2번인 길이 ➔ 2 cm
따라서 지우개의 길이보다 길이가 더 긴 색 테이프는 ㉠입니다.

12 현지의 한 뼘의 길이는 15 cm이고, 수화의 한 뼘의 길이는 12 cm입니다. 현지가 책상의 높이를 재었더니 4뼘이었습니다. 수화의 뼘으로 책상의 높이를 재면 몇 뼘일까요?

(5뼘)

✤ (책상의 높이)$=15+15+15+15=60$ (cm)
수화의 한 뼘은 12 cm이고
$12+12+12+12+12=60$ (cm)이므로 수화의 뼘으로 책상의 높이를 재면 5뼘입니다.

4 단원

13 책상의 긴 쪽의 길이는 양초로 4번이고 양초의 길이는 연필로 2번입니다. 연필의 길이가 10 cm일 때 책상의 긴 쪽의 길이는 몇 cm일까요?

(80 cm)

✤ (양초의 길이)$=10+10=20$ (cm)
(책상의 긴 쪽의 길이)$=20+20+20+20=80$ (cm)

14 길이가 1 cm, 3 cm, 5 cm인 막대가 한 개씩 있습니다. 이 막대를 한 번씩 이용하여 잴 수 있는 길이는 모두 몇 가지일까요?

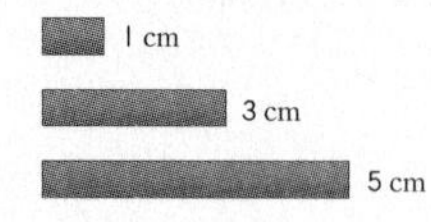

(7가지)

✤ 막대 1개를 이용하여 잴 수 있는 길이: 1 cm, 3 cm, 5 cm ➔ 3가지
막대 2개를 이용하여 잴 수 있는 길이: $1+3=4$ (cm), $1+5=6$ (cm), $3+5=8$ (cm) ➔ 3가지
막대 3개를 이용하여 잴 수 있는 길이: $1+3+5=9$ (cm) ➔ 1가지
따라서 막대를 이용하여 잴 수 있는 길이는 모두 $3+3+1=7$(가지)입니다.

15 끈 ㉮를 ㉯와 ㉰ 두 도막으로 나누었습니다. 창문의 긴 쪽의 길이를 끈 ㉮로 재면 2번이고, ㉯로 재면 3번입니다. 창문의 긴 쪽의 길이를 끈 ㉰로 재면 몇 번일까요?

(6번)

✤ ㉮=㉯+㉰이므로 ㉮+㉮=㉯+㉰+㉯+㉰입니다.
창문의 긴 쪽의 길이를 끈 ㉮로 재면 2번이고, ㉯로 재면 3번이므로
㉮+㉮=㉯+㉯+㉯, ㉯+㉰+㉯+㉰=㉯+㉯+㉯ ➔ ㉯=㉰+㉰
따라서 창문의 긴 쪽의 길이를 끈 ㉰로 재면
㉯+㉯+㉯=㉰+㉰+㉰+㉰+㉰+㉰이므로 6번입니다.

[GO! 매쓰]
여기까지 4단원 내용입니다.
다음부터는 5단원 내용이 시작합니다.

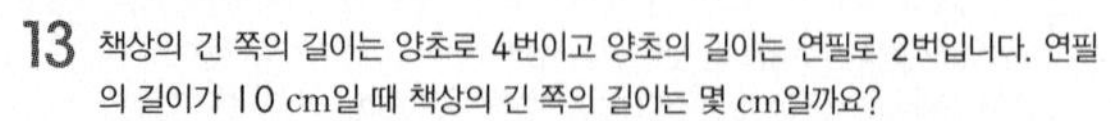

정답과 풀이 19쪽

유형 1 기준에 따라 분류하기

문제 해결

1 풀이나 나뭇잎을 먹는 동물을 초식 동물이라고 하고 동물의 고기를 먹는 동물을 육식 동물이라고 합니다. 다음 여러 동물을 분명한 기준을 정하여 분류해 보세요.

❶ □ 안에 알맞은 말을 써넣으세요.

동물을 먹이에 따라 **초식** 동물과 **육식** 동물로 분류할 수 있습니다.

❷ ❶에서 정한 기준에 따라 동물 붙임딱지를 붙여 분류해 보세요.

초식 동물	육식 동물

2 분류할 수 있는 기준이 되는 것을 모두 찾아 ○표 하세요.

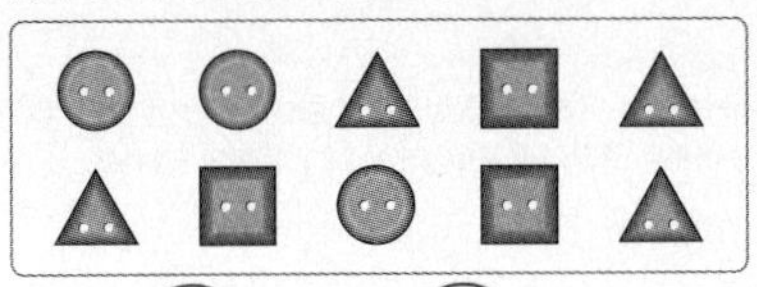

((모양), 구멍의 수 , (색깔), 크기)

3 이동 수단을 분류 기준에 따라 분류한 것입니다. 빈 곳에 알맞게 써넣고 붙임딱지를 붙여 분류해 보세요.

분류 기준: 바퀴의 수

바퀴 2개	바퀴 4개	바퀴 6개

정답과 풀이 19쪽

유형 2 분류 기준 알아보기

창의·융합

1 준수네 가족은 자동차를 타고 여행을 떠나기로 했습니다. 2대의 자동차에 각각 3명씩 탈 수 있도록 서로 다른 분류 기준을 쓰고 그 기준대로 가족 붙임딱지를 붙여 분류해 보세요.

❶ 분류 기준: 남자와 여자

❷ 분류 기준: 안경을 쓴 사람과 쓰지 않은 사람

2 동물원에 있는 동물들 중 일부가 새로운 장소로 이동을 하려고 합니다. 2개의 우리에 각각 나누어 이동할 수 있도록 서로 다른 분류 기준을 쓰고 그 기준대로 동물 붙임딱지를 붙여 분류해 보세요.

(1) 분류 기준: 날 수 없는 동물과 날 수 있는 동물

(2) 분류 기준: 다리의 수가 2개인 동물과 4개인 동물

82쪽 ~ 83쪽

정답과 풀이 20쪽

유형 3 분류하여 세어 보고 분류 결과 말하기 (문제 해결)

1 놀이동산에서 이벤트로 아이들에게 풍선을 나누어 주고 있습니다. 아이들은 좋아하는 색깔의 풍선을 받았습니다. 물음에 답하세요.

❶ 풍선의 색깔에 따라 분류하여 그 수를 세어 보세요.

색깔	노란색	빨간색	초록색	파란색
학생 수(명)	4	5	6	3

❷ 가장 인기가 많은 풍선은 무슨 색일까요?
(초록색)

✤ 초록색 풍선이 6명으로 가장 많이 받았으므로 초록색이 가장 인기가 많습니다.

2 예지네 반 학생들이 좋아하는 음료수를 조사하였습니다. 음료수에 따라 분류하고 물음에 답하세요.

영진	현지	슬기	예지	기연	가은	상혁
동현	민지	준희	민재	정우	지현	신현
시은	혁진	원희	채민	동진	나경	연경

(1) 예지네 반 학생들이 좋아하는 음료수의 종류는 모두 몇 가지일까요?
(4가지)

✤ 좋아하는 음료수의 종류는 콜라, 사이다, 우유, 주스로 모두 4가지입니다.

(2) 음료수의 종류에 따라 분류하여 학생 수를 세어 보세요.

종류	콜라	사이다	우유	주스
학생 수(명)	5	7	3	6

(3) 이 반에서 가장 인기가 적은 음료수는 무엇일까요?
(우유)

✤ 우유가 3명으로 가장 적게 선택했으므로 우유가 가장 인기가 적습니다.

5 단원

84쪽 ~ 85쪽

정답과 풀이 20쪽

유형 4 두 가지 기준으로 분류하기 (문제 해결)

1 도형을 분류 기준에 맞게 분류해 보세요.

㉠ ㉡ ㉢ ㉣ ㉤ ㉥ ㉦ ㉧

❶ 빨간색이면서 변의 수가 4개인 도형을 모두 찾아 기호를 써 보세요.
(㉠, ㉧)

✤ 빨간색: ㉠, ㉢, ㉥, ㉧
변의 수가 4개: ㉠, ㉤, ㉧ → ㉠, ㉧

❷ 파란색이면서 꼭짓점의 수가 3개인 도형을 모두 찾아 기호를 써 보세요.
(㉡, ㉣)

✤ 파란색: ㉡, ㉣
꼭짓점의 수가 3개: ㉡, ㉣, ㉥ → ㉡, ㉣

❸ 초록색이면서 꼭짓점의 수가 0개인 도형을 찾아 기호를 써 보세요.
(㉦)

✤ 초록색: ㉤, ㉦
꼭짓점의 수가 0개: ㉢, ㉦ → ㉦

2 여러 가지 단추가 섞여 있습니다. 단추를 분류 기준에 맞게 분류해 보세요.

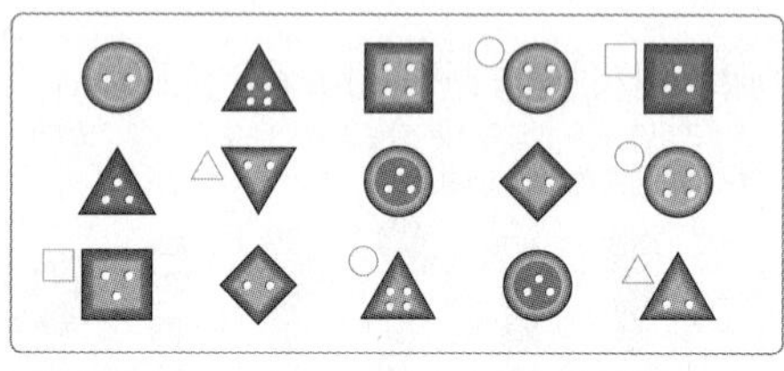

(1) 빨간색이면서 구멍 수가 4개인 단추는 몇 개일까요?
(3개)

✤ 빨간색이면서 구멍 수가 4개인 단추를 ○표 합니다. ○표는 모두 3개입니다.

(2) □ 모양이면서 구멍 수가 3개인 단추는 몇 개일까요?
(2개)

✤ □ 모양이면서 구멍 수가 3개인 단추를 □표 합니다. □표는 모두 2개입니다.

(3) 초록색이면서 구멍 수가 2개인 △ 모양의 단추는 몇 개일까요?
(2개)

✤ 초록색이면서 구멍 수가 2개인 △ 모양의 단추를 △표 합니다. △표는 모두 2개입니다.

5 단원

유형 5 분류 기준을 찾아 분류하기

창의·융합

정답과 풀이 21쪽

1 보기와 같이 수가 쓰여져 있는 공을 분류하였습니다. 분류한 기준을 알아보고 같은 분류 기준으로 주어진 공을 분류해 보세요.

❶ □ 안에 알맞은 수를 써넣고 보기와 같이 공을 분류한 기준을 완성해 보세요.

13 → 1+3=4, 51 → 5+1=6, 33 → 3+3=6,

40 → 4+0=4, 31 → 3+1=4, 60 → 6+0=6

분류 기준 공에 쓰여진 수의 **십의 자리 숫자와 일의 자리 숫자의 합**이 같은 것끼리 분류하였습니다.

❷ 보기와 같은 분류 기준에 따라 공 붙임딱지를 붙여 주어진 공을 분류해 보세요.

준비물 붙임딱지

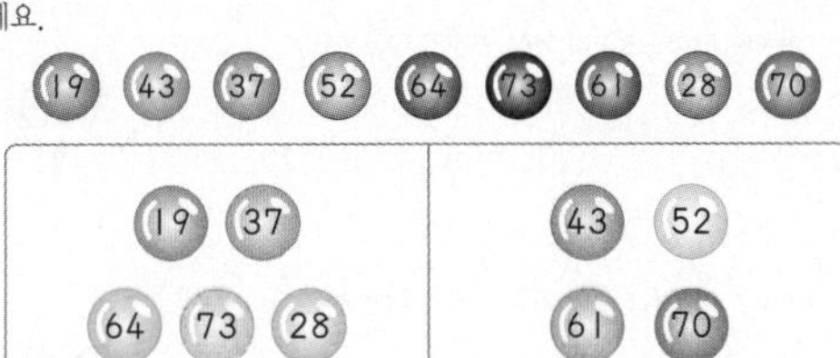

19, 37, 64, 73, 28	43, 52, 61, 70

2 마트에 있는 식품들입니다. 보기와 같은 분류 기준에 따라 식품 붙임딱지를 붙여 주어진 식품을 분류해 보세요.

준비물 붙임딱지

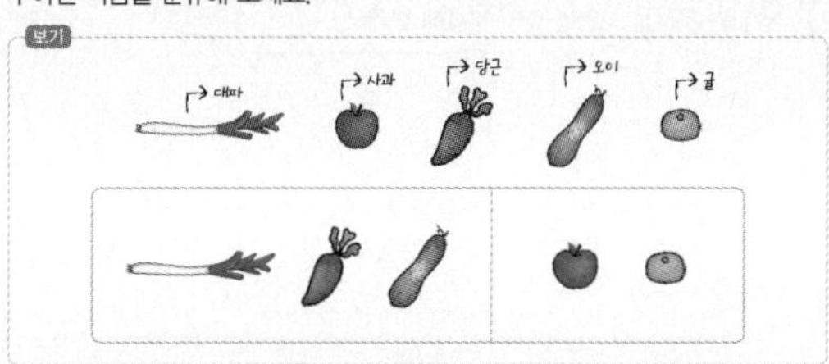

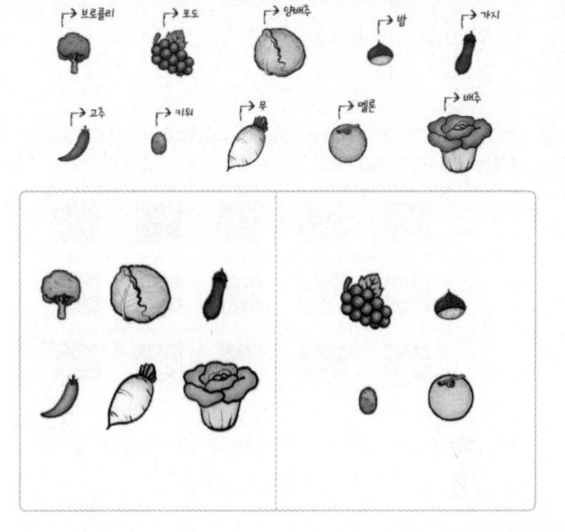

유형 6 분류한 결과 말하기

추론

정답과 풀이 21쪽

1 동현이네 반 학생 28명이 좋아하는 애완동물을 조사하였습니다. 분류하여 그 수를 다음과 같이 세었을 때 물음에 답하세요.

애완동물	강아지	토끼	고양이	금붕어
학생 수(명)	11		8	2

❶ 토끼를 좋아하는 학생은 몇 명일까요?

(7명)

✤ 11+8+2=21이므로 28−21=7(명)입니다.

❷ 가장 많은 학생들이 좋아하는 애완동물과 가장 적은 학생들이 좋아하는 애완동물의 학생 수의 차는 몇 명일까요?

(9명)

✤ 강아지: 11명, 금붕어: 2명이므로 11−2=9(명)입니다.

❸ 다리의 수가 다른 애완동물을 좋아하는 학생은 몇 명일까요?

(2명)

✤ 강아지, 토끼, 고양이는 다리의 수가 4개이고, 금붕어는 0개이므로 다리의 수가 다른 애완동물은 금붕어입니다.
따라서 금붕어를 좋아하는 학생은 2명입니다.

2 문구점에서 하루 동안 팔린 색연필 40자루의 색깔을 조사하였습니다. 분류하여 그 수를 다음과 같이 세었을 때 물음에 답하세요.

색깔	빨간색	파란색	검정색	노란색
색연필의 수(자루)	9	10		14

(1) 팔린 검정색 색연필은 몇 자루일까요?

(7자루)

✤ 9+10+14=33이므로 40−33=7(자루)입니다.

(2) 가장 많이 팔린 색깔의 색연필과 가장 적게 팔린 색깔의 색연필의 수의 합은 몇 자루일까요?

(21자루)

✤ 가장 많이 팔린 색연필 → 노란색: 14자루, 가장 적게 팔린 색연필 → 검정색: 7자루이므로 14+7=21(자루)입니다.

(3) 내가 만약 색연필을 파는 가게 주인이라면 내일 색연필을 더 많이 팔기 위해 준비해야 하는 색연필은 무슨 색일까요?

(노란색)

✤ 하루 동안 가장 많이 팔린 색연필은 노란색이므로 노란색을 가장 많이 준비해야 합니다.

사고력 종합 평가

정답과 풀이 22쪽

1 칠교판 조각을 모양에 따라 분류해 보세요.

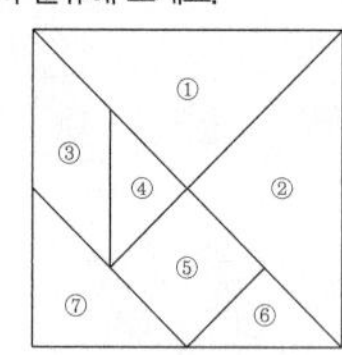

모양	삼각형	사각형
번호	①, ②, ④, ⑥, ⑦	③, ⑤

✣ 칠교판 조각을 모양에 따라 분류하면 삼각형: ①, ②, ④, ⑥, ⑦, 사각형: ③, ⑤로 분류할 수 있습니다.

2 연우의 친구들이 가장 좋아하는 색깔을 조사하였습니다. 가장 좋아하는 색깔의 종류는 모두 몇 가지일까요?

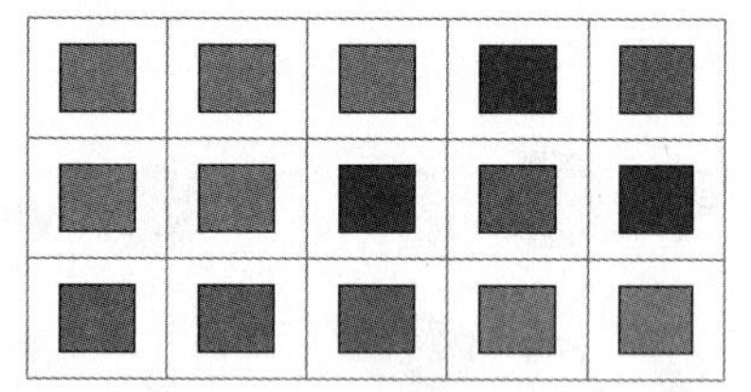

(5가지)

✣ 친구들이 가장 좋아하는 색깔을 분류하면 빨간색, 파란색, 초록색, 주황색, 노란색으로 모두 5가지입니다.

[3~5] 슬기네 반 학생들이 좋아하는 아이스크림을 조사하였습니다. 물음에 답하세요.

3 아이스크림의 맛에 따라 분류하여 그 수를 세어 보세요.

맛	초콜릿 맛	딸기 맛	녹차 맛
학생 수(명)	10	7	4

4 어떤 맛 아이스크림이 가장 인기가 많을까요?

(초콜릿 맛)

✣ 친구들이 가장 많이 선택한 초콜릿 맛이 가장 인기가 많습니다.

5 어떤 맛 아이스크림이 가장 인기가 적을까요?

(녹차 맛)

✣ 친구들이 가장 적게 선택한 녹차 맛이 가장 인기가 적습니다.

사고력 종합 평가

정답과 풀이 22쪽

6 가영이네 반 학생 20명이 좋아하는 운동을 조사하였습니다. 분류하여 그 수를 다음과 같이 세었을 때 피구를 좋아하는 학생은 몇 명일까요?

운동	축구	농구	피구	야구
학생 수(명)	6	2		5

(7명)

✣ $6+2+5=13$(명)이므로 피구를 좋아하는 학생은 $20-13=7$(명)입니다.

[7~8] 커피숍에 섞여 있는 컵을 기준에 따라 분류하려고 합니다. 물음에 답하세요.

7 손잡이가 1개 있고 파란색인 컵을 모두 찾아 번호를 써 보세요.

(②, ⑥)

✣ 손잡이 1개: ②, ④, ⑤, ⑥
파란색: ②, ⑥, ⑩ → ②, ⑥

8 손잡이가 없고 노란색인 컵을 모두 찾아 번호를 써 보세요.

(③, ⑨)

✣ 손잡이 0개: ①, ③, ⑦, ⑨
노란색: ③, ⑤, ⑧, ⑨ → ③, ⑨

9 수가 쓰여져 있는 공이 있습니다. 보기와 같이 주어진 공을 분류해 보세요.

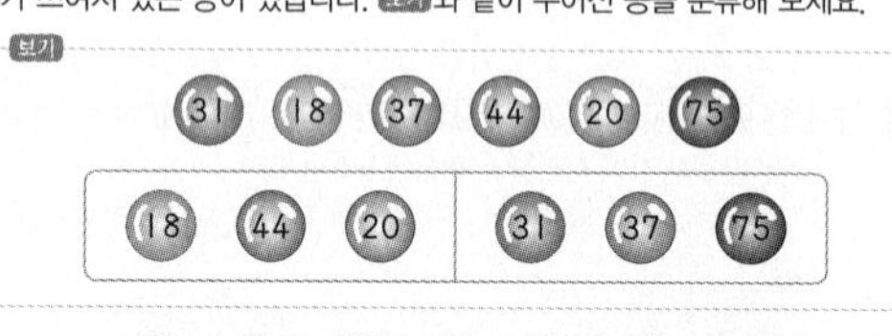

14, 26, 40, 32	5, 11, 29

✣ 짝수와 홀수인 것끼리 모아 분류하였습니다.

10 어느 달의 날씨를 조사하였습니다. 날씨에 따라 분류하여 그 수를 세어 보세요.

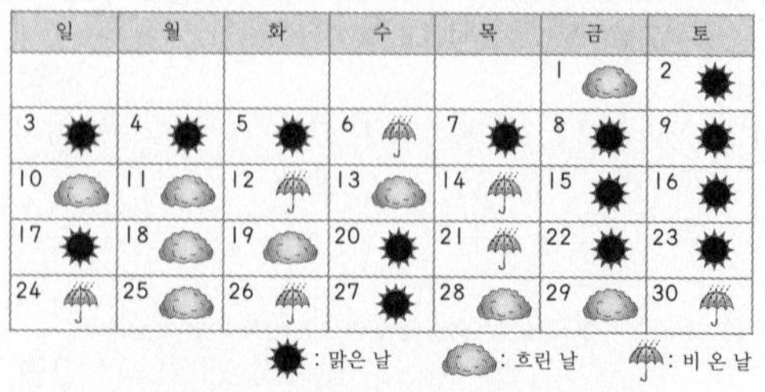

날씨	맑은 날	흐린 날	비 온 날
날수	14	9	7

맑은 날: 2, 3, 4, 5, 7, 8, 9, 15, 16, 17, 20, 22, 23, 27
흐린 날: 1, 10, 11, 13, 18, 19, 25, 28, 29
비 온 날: 6, 12, 14, 21, 24, 26, 30

정답과 풀이 23쪽

[11~13] 몬스터 나라에 살고 있는 몬스터들입니다. 기준에 따라 몬스터를 분류하여 그 수를 세어 보려고 합니다. 물음에 답하세요.

11 모양에 따라 분류하여 그 수를 세어 보세요.

모양	⬯ 모양	▯ 모양	⏢ 모양
몬스터 수(마리)	7	5	4

✣ ⬯ 모양: ①, ④, ⑤, ⑦, ⑫, ⑭, ⑯ ➔ 7마리
▯ 모양: ②, ⑥, ⑨, ⑩, ⑬ ➔ 5마리
⏢ 모양: ③, ⑧, ⑪, ⑮ ➔ 4마리

12 뿔의 수에 따라 분류하여 그 수를 세어 보세요.

뿔의 수	1개	2개	3개
몬스터 수(마리)	7	4	5

✣ 뿔 1개: ①, ④, ⑥, ⑦, ⑩, ⑪, ⑭ ➔ 7마리
뿔 2개: ②, ⑤, ⑬, ⑮ ➔ 4마리
뿔 3개: ③, ⑧, ⑨, ⑫, ⑯ ➔ 5마리

13 눈의 수에 따라 분류하여 그 수를 세어 보세요.

눈의 수	1개	2개	3개	4개
몬스터 수(마리)	6	5	3	2

✣ 눈 1개: ①, ⑥, ⑧, ⑩, ⑬, ⑯ ➔ 6마리
눈 2개: ②, ⑤, ⑨, ⑪, ⑭ ➔ 5마리
눈 3개: ③, ⑦, ⑫ ➔ 3마리
눈 4개: ④, ⑮ ➔ 2마리

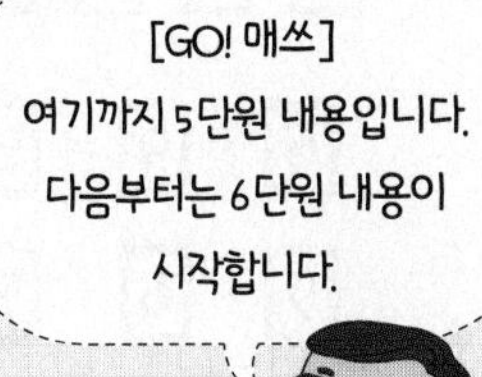

[GO! 매쓰]
여기까지 5단원 내용입니다.
다음부터는 6단원 내용이
시작합니다.

정답과 풀이 23쪽

유형 ① 몇의 몇 배 구하기

문제 해결

1 시장에서 참외를 5개 샀고, 사과는 참외의 3배를 샀습니다. 산 참외와 사과는 모두 몇 개인지 구해 보세요.

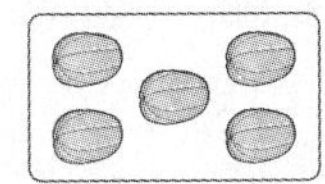
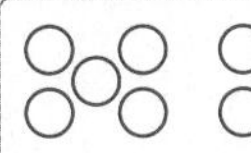
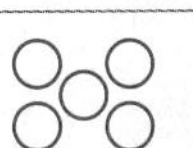
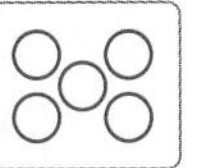

❶ 산 사과의 수만큼 위의 빈 곳에 ○를 그려 보세요.

✣ 참외가 5개이고 사과는 참외의 3배이므로 ○를 5개씩 3번 그립니다.

❷ 산 사과의 수를 덧셈식과 곱셈식으로 각각 나타내어 보세요.

덧셈식 $5+5+5=15$

곱셈식 $5\times3=15$

✣ 5의 3배 ➔ $5+5+5=15$
➔ $5\times3=15$

❸ 산 참외와 사과는 모두 몇 개일까요?

(20개)

✣ 참외: 5개, 사과: 15개
➔ $5+15=20$(개)

2 가지의 수는 당근의 수의 몇 배일까요?

(1)

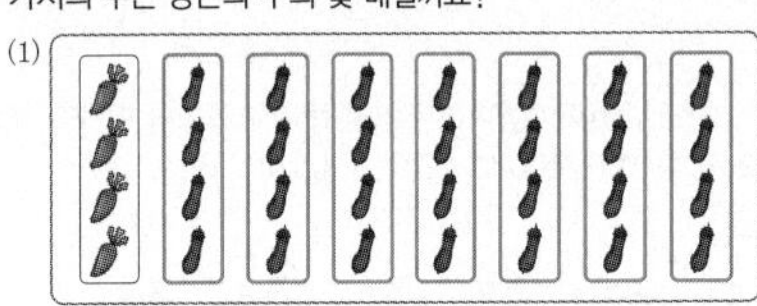

(7배)

(2)

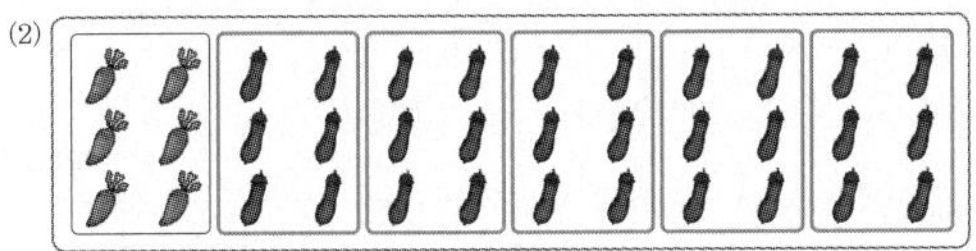

(5배)

✣ (1) 당근의 수는 4개씩 1묶음이고, 가지의 수는 4개씩 7묶음입니다. 따라서 가지의 수는 당근의 수의 7배입니다.
(2) 당근의 수는 6개씩 1묶음이고, 가지의 수는 6개씩 5묶음입니다. 따라서 가지의 수는 당근의 수의 5배입니다.

3 농장에 닭이 3마리 있고, 병아리는 닭의 4배가 있습니다. 병아리는 몇 마리인지 덧셈식과 곱셈식으로 각각 나타내고 답을 구해 보세요.

덧셈식 $3+3+3+3=12$

곱셈식 $3\times4=12$

답 12마리

6 단원

98쪽 ~ 99쪽

유형 2 수 카드로 곱셈식 만들기 (문제 해결)

정답과 풀이 24쪽

1 보기와 같이 주어진 수 카드를 한 번씩 모두 사용하여 곱셈식을 만들어 보세요.

보기

2 3 1 7 → $3 \times 7 = 21$, $7 \times 3 = 21$

❶ 주어진 수 카드를 한 번씩 모두 사용하여 곱셈식이 되도록 알맞은 수 카드 붙임딱지를 붙여 보세요.

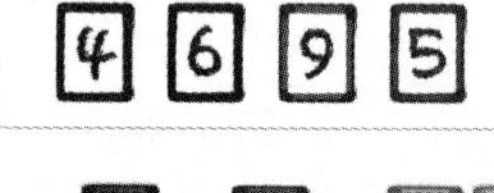

→ $6 \times 9 = 54$
$9 \times 6 = 54$

❷ 수 카드를 한 번씩 모두 사용하여 곱셈식을 만들어 보세요.

($3 \times 6 = 18$ 또는 $6 \times 3 = 18$)

2 5장의 수 카드 중 4장을 한 번씩 모두 사용하여 곱셈식을 만들려고 합니다. 알맞은 수 카드 붙임딱지를 붙여 보세요.

(1)

→ $3 \times 9 = 27$
$9 \times 3 = 27$

(2)

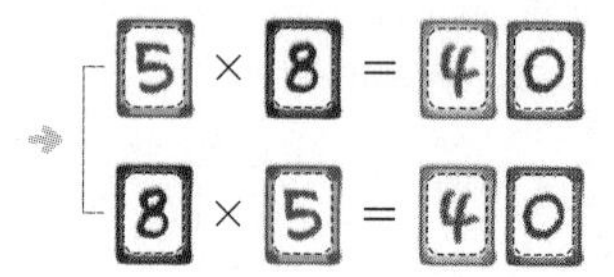

→ $5 \times 8 = 40$
$8 \times 5 = 40$

3 6장의 수 카드 중 4장을 한 번씩 모두 사용하여 곱셈식을 만들었습니다. 만들고 남은 수 카드 수의 곱을 구해 보세요.

3 7 2 5 8 6

(6)

✤ 4장의 수 카드 5, 6, 7, 8로 곱셈식 $7 \times 8 = 56$, $8 \times 7 = 56$을 만들 수 있습니다. 따라서 만들고 남은 수 카드 2와 3의 곱을 구하면 $2 \times 3 = 6$입니다.

100쪽 ~ 101쪽

유형 3 곱셈식 완성하기 (문제 해결)

정답과 풀이 24쪽

1 두발자전거가 6대 있습니다. 두발자전거의 바퀴 수와 같도록 빈 곳에 붙임딱지를 붙이고, 곱셈식을 완성해 보세요.

두발자전거

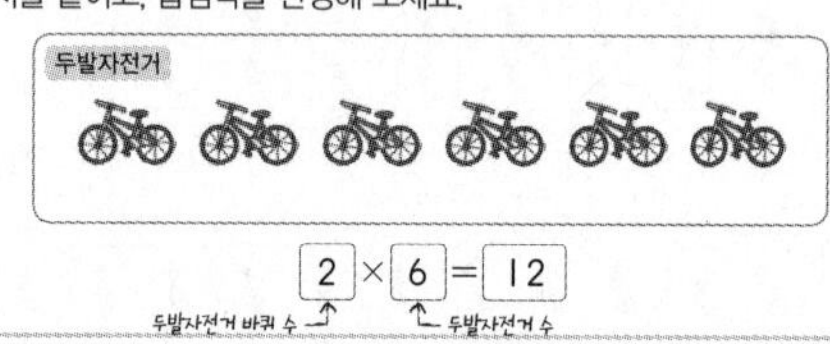

$2 \times 6 = 12$

(두발자전거 바퀴 수, 두발자전거 수)

❶ 두발자전거의 바퀴 수와 세발자전거의 바퀴 수가 같도록 빈 곳에 세발자전거 붙임딱지를 붙이고, 곱셈식을 완성해 보세요.

세발자전거

$3 \times 4 = 12$

❷ 두발자전거의 바퀴 수와 돼지의 다리 수가 같도록 빈 곳에 돼지 붙임딱지를 붙이고, 곱셈식을 완성해 보세요.

돼지

$4 \times 3 = 12$

✤ 돼지 한 마리의 다리 수는 4개이므로 돼지의 다리 수가 12개일 때 돼지는 3마리가 되어야 합니다. 따라서 돼지 붙임딱지 3장을 붙입니다.

2 거미의 다리 수와 코끼리의 다리 수가 같도록 오른쪽 빈 곳에 코끼리 붙임딱지를 붙이고, 곱셈식을 완성해 보세요.

거미

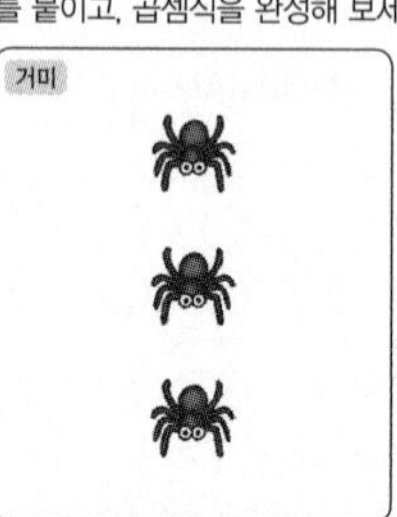

코끼리

$8 \times 3 = 24$ / $4 \times 6 = 24$

✤ 거미 한 마리의 다리는 8개이므로 거미 3마리의 다리 수를 곱셈식으로 나타내면 $8 \times 3 = 24$입니다. 코끼리 한 마리의 다리는 4개이고 전체 다리 수가 24개일 때 코끼리는 6마리이므로 코끼리 붙임딱지 6장을 붙입니다. ➔ $4 \times 6 = 24$

3 문어의 다리 수와 개미의 다리 수가 같도록 오른쪽 빈 곳에 개미 붙임딱지를 붙이고, 곱셈식을 완성해 보세요.

문어

개미

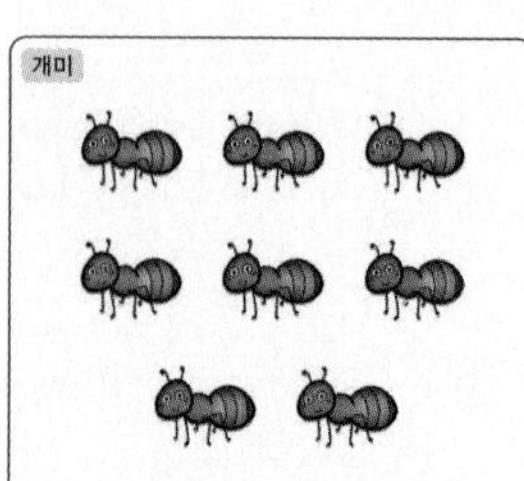

$8 \times 6 = 48$ / $6 \times 8 = 48$

✤ 문어 한 마리의 다리는 8개이므로 문어 6마리의 다리 수를 곱셈식으로 나타내면 $8 \times 6 = 48$입니다. 개미 한 마리의 다리는 6개이고 전체 다리 수가 48개일 때 개미는 8마리이므로 개미 붙임딱지 8장을 붙입니다. ➔ $6 \times 8 = 48$

정답과 풀이 25쪽

유형 4 모두 몇 가지인지 구하기 추론

1 효정이가 옷장에서 윗옷과 아래옷을 하나씩 고르고 있습니다. 효정이가 옷을 입을 수 있는 방법은 모두 몇 가지인지 곱셈식을 쓰고 답을 구해 보세요.

❶ 효정이가 옷을 입을 수 있는 방법은 모두 몇 가지인지 선으로 연결해 보세요.

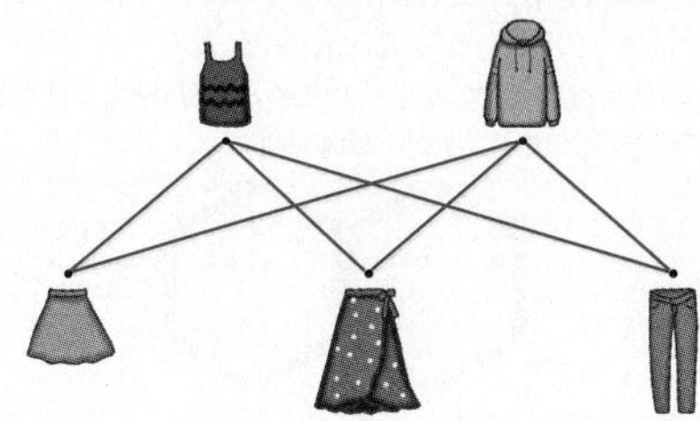

✤ 윗옷 1가지에 아래옷 3가지를 입을 수 있습니다.

❷ 효정이가 옷을 입을 수 있는 방법은 모두 몇 가지인지 곱셈식을 쓰고 답을 구해 보세요.

식 $2\times3=6$

답 6가지

✤ 윗옷이 2가지이고 각각의 경우에 입을 수 있는 아래옷이 3가지씩이므로 옷을 입을 수 있는 방법은 모두 $2\times3=6$(가지)입니다.

2 도넛 가게에서 가영이는 도넛과 음료수를 하나씩 고르고 있습니다. 도넛과 음료수를 고를 수 있는 방법은 모두 몇 가지인지 곱셈식을 쓰고 답을 구해 보세요.

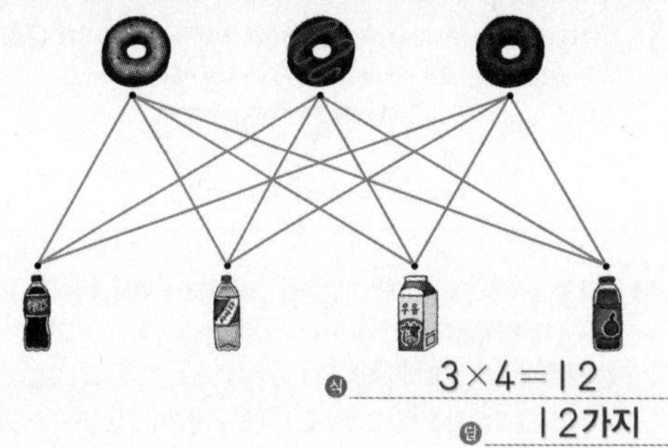

식 $3\times4=12$

답 12가지

✤ 도넛이 3가지이고 각각의 경우에 고를 수 있는 음료수가 4가지씩이므로 고를 수 있는 방법은 모두 $3\times4=12$(가지)입니다.

3 소희는 서로 다른 모자 5가지와 목도리 3가지 중 모자와 목도리를 하나씩 골라 입으려고 합니다. 모자와 목도리를 입을 수 있는 방법은 모두 몇 가지일까요?

(15가지)

✤ 모자가 5가지이고 각각에 입을 수 있는 목도리가 3가지씩이므로 입을 수 있는 방법은 모두 $5\times3=15$(가지)입니다.

정답과 풀이 25쪽

유형 5 모양이 나타내는 값 구하기 문제 해결

1 ○+△+□의 값을 구해 보세요. (단, 같은 모양은 같은 수를 나타냅니다.)

7×○=28　　△×5=15　　○×△=□

❶ ○의 값을 구해 보세요.

(4)

✤ 7×4=28이므로 ○=4입니다.

❷ △의 값을 구해 보세요.

(3)

✤ 3×5=15이므로 △=3입니다.

❸ □의 값을 구해 보세요.

(12)

✤ ○=4, △=3이므로 ○×△=4×3=12입니다.
➔ □=12

❹ ○+△+□의 값을 구해 보세요.

(19)

✤ ○+△+□=4+3+12=19

2 □ 안에 알맞은 수를 써넣으세요.

(1) ○×6=24　　7×△=21
➔ ○×△=12

(2) □×5=35　　9×♡=27
➔ □×♡=21

(3) △×6=30　　7×□=14
➔ △×□=10

(4) 8×○=32　　4×☆=36
➔ ○×☆=36

✤ (1) ○=4, △=3이므로 ○×△=4×3=12입니다.
(2) □=7, ♡=3이므로 □×♡=7×3=21입니다.
(3) △=5, □=2이므로 △×□=5×2=10입니다.
(4) ○=4, ☆=9이므로 ○×☆=4×9=36입니다.

3 ☆+♡+△+○의 값을 구해 보세요. (단, ☆, ♡, △, ○는 모두 서로 다른 한 자리 수입니다.)

☆×♡=24　　△×○=24

(21)

✤ 서로 다른 한 자리 수의 곱이 24인 경우는 4×6=24 (또는 6×4=24), 3×8=24 (또는 8×3=24)이므로 ☆+♡+△+○=4+6+3+8=21입니다.

정답과 풀이 26쪽

유형 6 필요한 성냥개비 수 구하기 추론

1 그림과 같이 성냥개비 한 개를 한 변으로 하여 삼각형을 8개 만들려고 합니다. 성냥개비는 모두 몇 개 필요한지 구해 보세요.

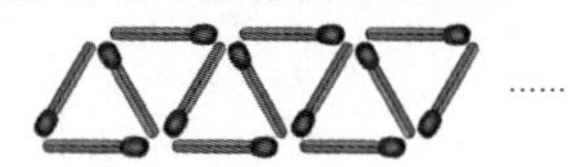

❶ 삼각형을 만들 때 필요한 성냥개비 수를 알아보려고 합니다. □ 안에 알맞은 수를 써넣으세요.

- 삼각형을 1개 만들 때: 3개
- 삼각형을 2개 만들 때: 삼각형을 1개 만들 때보다 [2]개가 더 필요하므로 모두 3+[2]=[5](개)가 필요합니다.
- 삼각형을 3개 만들 때: 삼각형을 1개 만들 때보다 2×2=[4](개)가 더 필요하므로 모두 3+[4]=[7](개)가 필요합니다.
- 삼각형을 4개 만들 때: 삼각형을 1개 만들 때보다 2×3=[6](개)가 더 필요하므로 모두 3+[6]=[9](개)가 필요합니다.

❷ 삼각형을 8개 만들 때 성냥개비는 모두 몇 개 필요한지 구해 보세요.
(17개)

✣ 삼각형을 1개 만들 때 성냥개비 3개가 필요하고 8개 만들 때는 삼각형을 1개 만들 때보다 2×7=14(개)가 더 필요하므로 모두 3+14=17(개) 필요합니다.

2 그림과 같이 성냥개비 한 개를 한 변으로 하여 사각형을 5개 만들려고 합니다. 성냥개비는 모두 몇 개 필요한지 구해 보세요.

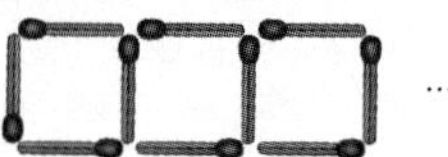

(16개)

✣ 사각형을 1개 만들 때: 4개
사각형을 2개 만들 때: 사각형을 1개 만들 때보다 3개가 더 필요합니다.
➔ 4+3=7(개)
사각형을 3개 만들 때: 사각형을 1개 만들 때보다 3×2=6(개)가 더 필요합니다. ➔ 4+6=10(개)
사각형을 4개 만들 때: 사각형을 1개 만들 때보다 3×3=9(개)가 더 필요합니다. ➔ 4+9=13(개)
사각형을 5개 만들 때: 사각형을 1개 만들 때보다 3×4=12(개)가 더 필요합니다. ➔ 4+12=16(개)
따라서 성냥개비는 모두 16개 필요합니다.

3 그림과 같이 성냥개비 한 개를 한 변으로 하여 육각형을 4개 만들려고 합니다. 성냥개비는 모두 몇 개 필요한지 구해 보세요.

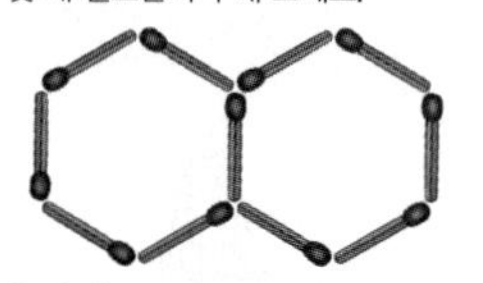

(21개)

✣ 육각형을 1개 만들 때: 6개
육각형을 2개 만들 때: 육각형을 1개 만들 때보다 5개가 더 필요합니다.
➔ 6+5=11(개)
육각형을 3개 만들 때: 육각형을 1개 만들 때보다 5×2=10(개)가 더 필요합니다. ➔ 6+10=16(개)
육각형을 4개 만들 때: 육각형을 1개 만들 때보다 5×3=15(개)가 더 필요합니다. ➔ 6+15=21(개)
따라서 성냥개비는 모두 21개 필요합니다.

정답과 풀이 26쪽

사고력 종합 평가

[1~2] 명지는 운동을 가기 위하여 양말과 운동화를 하나씩 고르고 있습니다. 물음에 답하세요.

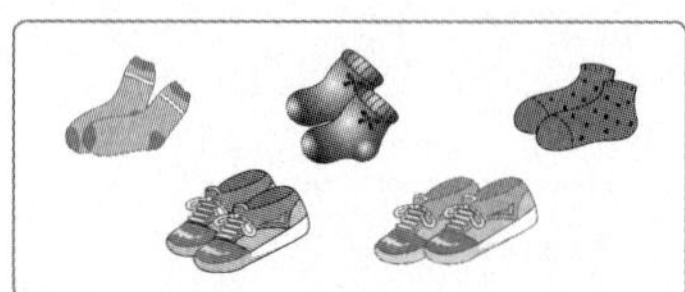

1 명지가 양말과 운동화를 신을 수 있는 방법은 모두 몇 가지인지 양말과 운동화를 선으로 연결해 보세요.

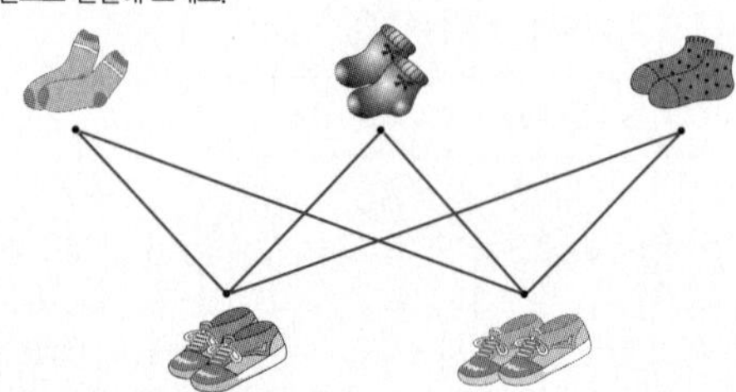

2 명지가 양말과 운동화를 신을 수 있는 방법은 모두 몇 가지인지 곱셈식을 쓰고 답을 구해 보세요.

식 3×2=6
답 6가지

✣ 양말은 3가지이고 각각의 경우에 신을 수 있는 운동화가 2가지씩이므로 양말과 운동화를 신을 수 있는 방법은 모두 3×2=6(가지)입니다.

3 주어진 수 카드를 한 번씩 모두 사용하여 곱셈식을 2개 완성해 보세요.

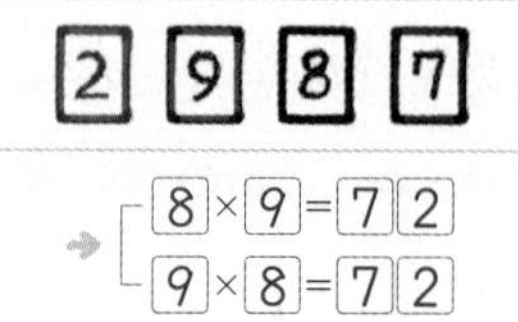

➔ [8]×[9]=[7][2]
[9]×[8]=[7][2]

4 주어진 수 카드 중 4장을 한 번씩 모두 사용하여 곱셈식을 2개 완성해 보세요.

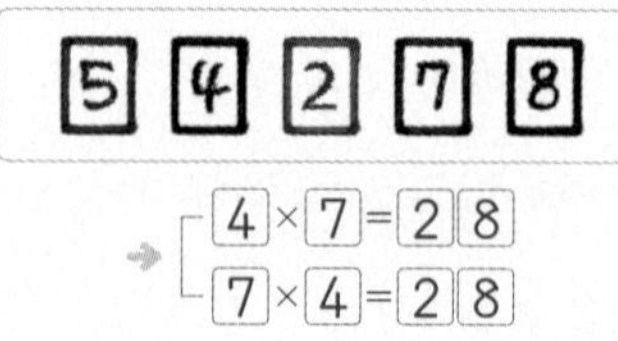

➔ [4]×[7]=[2][8]
[7]×[4]=[2][8]

5 ♡와 ☆의 곱은 얼마일까요?

♡×5=20   6×☆=36

(24)

✣ 4×5=20이므로 ♡=4이고, 6×6=36이므로 ☆=6입니다.
➔ ♡×☆=4×6=24

사고력 종합 평가

정답과 풀이 27쪽

6 그림과 같이 성냥개비 한 개를 한 변으로 하여 오각형을 5개 만들려고 합니다. 성냥개비는 모두 몇 개 필요할까요?

……

(21개)

✤ 오각형 1개: 5개
오각형 2개: 4개가 더 필요합니다. ➔ 5+4=9(개)
오각형 3개: 4×2=8(개)가 더 필요합니다. ➔ 5+8=13(개)
오각형 4개: 4×3=12(개)가 더 필요합니다. ➔ 5+12=17(개)
오각형 5개: 4×4=16(개)가 더 필요합니다. ➔ 5+16=21(개)

7 면봉 25개로 다음과 같은 모양을 4개 만들려고 합니다. 만들고 남은 면봉은 몇 개일까요?

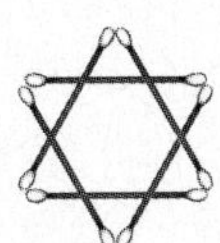

(1개)

✤ 문제와 같은 모양 1개를 만드는 데 면봉이 6개 필요하므로 같은 모양을 4개 만들려면 면봉이 6의 4배만큼 필요합니다. 따라서 6×4=24(개)를 사용하고 남은 면봉은 25−24=1(개)입니다.

8 ㉠과 ㉡의 합을 구해 보세요.

- 3+3+3+3+3은 3의 ㉠배입니다.
- 8+8+8+8+8+8은 8의 ㉡배입니다.

(11)

✤ 3+3+3+3+3 (5번) ➔ 3의 5배 ➔ ㉠=5
8+8+8+8+8+8 (6번) ➔ 8의 6배 ➔ ㉡=6
➔ ㉠+㉡=5+6=11

9 오토바이 한 대의 바퀴는 2개이고, 자동차 한 대의 바퀴는 4개입니다. 오토바이의 바퀴 수와 자동차의 바퀴 수가 같아지도록 필요한 자동차의 수만큼 빈 곳에 ○를 그리고, 곱셈식을 완성해 보세요.

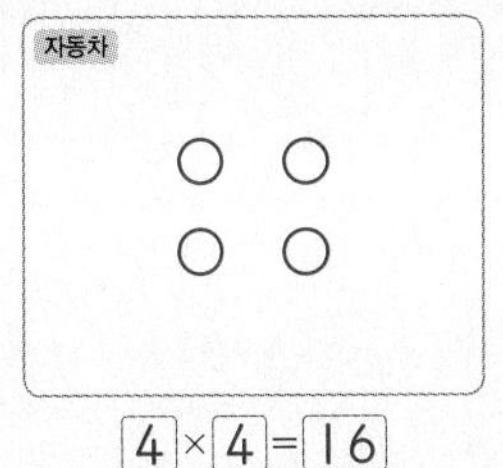

2×8=16 4×4=16

10 진주는 선생님께 칭찬 붙임딱지를 5장 받았고 명철이는 진주의 4배를 받았습니다. 물음에 답하세요.

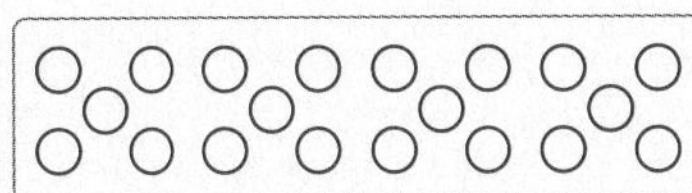

진주가 받은 칭찬 붙임딱지

(1) 명철이가 받은 칭찬 붙임딱지 수만큼 위의 빈 곳에 ○를 그려 보세요.
✤ 5의 4배이므로 ○를 5개씩 4번 그립니다.

(2) 명철이가 받은 칭찬 붙임딱지 수를 덧셈식과 곱셈식으로 각각 나타내고 답을 구해 보세요.

덧셈식 5+5+5+5=20
곱셈식 5×4=20
답 20장

사고력 종합 평가

정답과 풀이 27쪽

11 4와 어떤 수의 곱은 32입니다. 어떤 수와 6의 곱은 얼마일까요?

(48)

✤ 4×(어떤 수)=32에서 4×8=32이므로 어떤 수는 8입니다. 따라서 어떤 수와 6의 곱은 8×6=48입니다.

12 지영이는 색종이를 9장 가지고 있고 서준이는 지영이가 가진 색종이의 3배를 가지고 있습니다. 지영이와 서준이가 가지고 있는 색종이는 모두 몇 장일까요?

(36장)

✤ 서준이는 지영이가 가진 색종이의 3배를 가지고 있으므로 9×3=27(장) 가지고 있습니다.
따라서 지영이와 서준이가 가지고 있는 색종이는 모두 9+27=36(장)입니다.

13 한 봉지에 초콜릿이 6개씩 7봉지 있습니다. 선생님께서 초콜릿을 3개씩 8명에게 나누어 주셨습니다. 남은 초콜릿은 몇 개일까요?

(18개)

✤ 초콜릿은 6개씩 7봉지이므로 모두 6×7=42(개)가 있고 3개씩 8명에게 나누어 주면 3×8=24(개)를 나누어 주게 됩니다.
따라서 남은 초콜릿은 42−24=18(개)입니다.

[GO! 매쓰]
수고하셨습니다.

Memo

Go! 매쓰

수학 2-1

정답과 풀이

유형 사고력

교과서 사고력

교과서 개념